砂漠の薔薇

新 堂 冬 樹

幻冬舎文庫

砂漠の薔薇

プロローグ

土が、こんなに硬いものだとは知らなかった。

全身の毛穴から噴き出す汗の匂いに引き寄せられた藪蚊《やぶか》が、執拗《しつよう》に纏《まと》わりついてきた。

私は四つん這いになり、犬が餌を掘り返すときのように、左右の手で交互に地面を抉《えぐ》った。

どれだけ土を掬《すく》っても、穴の深さは変わらないように思えた。

ジーパンと色褪《いろあ》せた臙脂《えんじ》のトレーナーは泥に塗《まみ》れ、土をくわえ込んだ爪は真っ黒に染まっていた。

荒い息遣いが耳孔を占領し、腕の筋肉が強張《こわば》ってきた。

もうすぐ、解放される。

気持ちを奮い立たせ、一心不乱に土を掘り続けた。

白くて細長い。お尻にハサミがある。鼠色《ねずみいろ》で丸い。黒紫に光っている。

地中には様々な色や形をした虫が潜んでおり、緩慢な動きで身をくねらせ、また、落ち葉の下に逃げ込んだ。

私は、虚《うつ》ろな瞳でぽっかりと口を開く漆黒の空洞をみつめた。

次の瞬間、激しく頭を振り、両の掌《てのひら》で器を作り、虫ごと掬い上げた土を頭越しに後ろに放り捨てた。虫が一匹残らず消え去るまで、なにかに憑《つ》かれたように同じ動作を繰り返した。

ここは、お前達のいる場所じゃない。私が私を取り戻すために必要な場所。もう、私を苦しめることは許さない。

樹々《きぎ》の梢《こずえ》から射し込む夕陽の帯に、鈍い輝きを放ちながら汗が飛散した。

どのくらいの時間が経《た》ったのだろうか。指先の皮は擦《す》りむけ、血が滲《にじ》み、傷口に泥がめり込んでいた。

視線を、指から地面に移した。空洞は、なにもかもを封印できるだけの深さに達しているようにみえた。

私は、傍らに置いていたナイロン製のバッグを手もとに引き寄せた。

このバッグは、二年前に駅前のスーパーのバーゲンセールで売っていたものだった。

かなり大きめのサイズで、ティッシュペーパーやトイレットペーパーをまとめ買いするときに非常に便利であり、しかも使わないときには小さく折り畳めるとあって、外出時には常に持ち歩いていた。

しかし、いまバッグに入っているのは、食材でも日用雑貨でもなかった。ファスナーを開けると、粘着テープで巻かれた半透明のゴミ袋が顔を覗《のぞ》かせた。

私はバッグの底の部分を持って横に倒した。

ゴミ袋に包まれた塊が、音を立てて空洞へ吸い込まれてゆく。ゴミ袋と一緒に落ちた小さな運動靴の片割れを拾い上げてバッグにしまうと、空洞に小石を詰め込み土を被《かぶ》せた。

こんもりと盛り上がった地面を掌で平《な》らし、枯れ葉で覆い、近くに転がる朽ち木の倒木を引き摺《ず》って蓋《ふた》をするように載せた。

荒い息を吐《つ》き、一本のケヤキの木に寄りかかりながらへたり込んだ。干上がった口内で、濃い唾液が不快に糸を引く。

足でバッグを引き寄せ、中をまさぐった。ふたつのボンボンが首もとについた赤いセーターや、くるぶしに苺《いちご》が刺繍《ししゆう》された白いソックスを掻き分けた。

夫のペーズリー柄のネクタイが絡みつくコンビニエンスストアのレジ袋を取り出し、すっかり温《ぬる》くなってしまった缶の緑茶をひと息に飲み干した。

続けて、鮭のおにぎりを貪《むさぼ》るように食べた。

ひとつ小さな息を吐き、あたりに首を巡らせた。

三ヵ月前にこの雑木林を訪れたときには、周囲の樹々は深緑を纏い、鼓膜を掻き毟《むし》るような蟬《せみ》の鳴き声が聞こえていた。

カブト虫がいないと言って落ち込む聡《さとし》を励ましながら、樹液の出ている木を求めて歩いたものだ。

山を下りてから、このへんの森にはカブト虫が集まるクヌギやコナラの木がないということを近所の住民が教えてくれた。

虫に興味のない……というよりも、どちらかと言えば苦手にしている私が、そんなことを知るはずもなかった。

その親切な住民は、小学生の息子とともに首から虫籠《むしかご》を提げて網を持つ私を、好奇のいろを宿した瞳でみつめていた。

聡の隣に立っていたのが夫ならば、そんな眼を向けられることはなかったと思う。

そして、聡の虫籠はカブト虫で一杯になっていたことだろう。

回想を打ち切り、凍える空気に生気を吸い取られたような樹々を見渡した。

周囲の人の眼には、私はこの樹々のように映っていたのかもしれない。

眼を閉じた。冷気が汗に塗れた躰《からだ》から体温を奪い、忍び寄る夜気が皮膚を突き刺す。

長い年月をかけて沈殿していたヘドロが氷結し、粉砕されてゆくようだった。

忘れかけていた充足感に身を預け、まどろみの世界へ足を踏み入れた。
私の中で、いままで閉鎖していた扉が、軋《きし》みを立てながら開いていった。

1

狭い洋服箪笥《だんす》からハンガーを手にしては戻し、また、手にしては戻す。

といっても、私が持っている衣服の数などたかが知れている。

その中でまともだと言えるのは、二年前の聡の入園式のために買った濃紺のスーツだけだった。

足を棒にしてデパートを梯子《はしご》し、やっとの思いで二万九千八百円のバーゲン品をみつけたのだったが、サイズはひと回り大きかった。

十万円近く出せば洒落《しゃれ》たデザインで生地のいい……もちろん、躰にフィットしたサイズのスーツはいくらでもあったが、私には三万円でも大金だった。

しかも、当時、長女の美涼《みすず》が生まれたばかりで、中西家はなにかと出費が重なっていたのだ。

落合にある教材会社に勤務している夫の年収は、六百万円弱だ。決して少なくはないのだが、それは、一般のサラリーマンに比べれば、の話だった。

私が身を置いているのは、年収一千万円程度では高収入とは言わないような世界だった。

「やっぱり、これしかないわね」

一張羅のスーツのかかったハンガーを手に、ドレッサーの前に立った。

彼女達の輪にいても、浮かないコーディネートではあった。

しかし、九月に入って二十日間のうちに、もう、七、八回は同じスーツを着ていた。

かといって、普段、どこへ行くにもジーパンにトレーナー姿の私には、このスーツの代わりになるようなものはない。

スエットの上下をベッドに脱ぎ捨て、ブラウスに袖を通した。クリーニングに出す間もなく何度も着用しているので、ブラウスの右の胸のあたりにはコーヒーのシミが付着していた。

「脱がなきゃわからないわ」

独りごち、スーツの上着を羽織った。

私にとって毎朝の身支度は、ストレスの種になっていた。

でも、それは数ある深刻な問題のうちでは、まだましなほうと言える。

ベッドのヘッドボードに視線を投げた。目覚まし時計の針は、午前八時三十分を指していた。

聡の通う翼《つばさ》幼稚園の登園時間は九時だ。

ＪＲ高田馬場駅まで自転車で十分。高田馬場駅から幼稚園のある目白駅まで二、三分。急がなければならない。

手早くストッキングとスカートを身につけ、ドレッサーの椅子に座った。

鏡の中の女性は、三十三歳という年齢にしては目尻の皺《しわ》や眼の下の弛《たる》みが目立った。十和子《とわこ》のようにエステティックサロンに通ったり、高価な化粧品でも使えば、少しは違うのかもしれない。

しかし、夢を叶《かな》えるためには、無駄な出費は極力省いていかなければならなかった。

私は、首もとに赤いリボンのついたモスグリーンの制服に身を包んだ美涼の手を引き、聖《せい》星《せい》女子大学付属幼稚園の門を潜《くぐ》る自分の姿に思いを馳せた。

目白近辺に住居を構え、幼稚園への入園を控えた子供を持つ親ならば誰しも、あのモスグリーンの制服に憧憬《しょうけい》の眼差しを向けるはずだ。

私は夢想を中断し、化粧もそこそこに終わらせ、パーマの取れかかった髪の毛を手櫛《てぐし》で撫でつけると寝室を出た。

「聡、美涼」

私は、台所に寄り弁当の包みを手にすると、長男と長女の名を呼びながら茶の間に向かった。

「ほら、行くわよ」

仲良く肩を並べてNHKの子供番組をみていたふたりに、私は声をかけた。

すぐに反応して駆け寄ってきた聡とは対照的に、美涼はテレビの前から動こうとしなかった。

美涼の足もとに眼をやった。左右が逆に穿《は》かれた靴下をみて、神経がささくれ立ってゆくのを感じた。

「美涼、何度言ったら、靴下をきちんと穿けるの？」

私はテレビのスイッチを消し、華奢《きゃしゃ》な娘の腕を摑《つか》んで立たせた。

美涼が俯《うつむ》き、マシュマロのような柔らかな頰を赤く染めた。

そんな娘をみて、いら立ちに拍車がかかった。

「あのね、美涼はもうじき三歳なのよ？　北林さん家のこずえちゃんは、もう、歯磨だってひとりでできるのよ？　恥ずかしいと思わないの？」

唇から、深く長いため息が零《こぼ》れ出す。

美涼にたいしてのため息ではなく、いまのは、自分にたいしてのため息だった。

子育ての本で禁止事項として書かれていることを、私はすべてやってしまっている。

いけない、と思いながらも、ついつい言い過ぎてしまう。

でも、それは美涼にたいしてだけであり、聡には禁句を口にしたことも声を荒らげたこともなかった。

私には、その理由がよくわかっていた。

聡は主人に似て、とても要領のいい子供だった。特別になにかが優れているというわけではないのだが、目につく失敗をおかしたりせず、器用に立ち回り……つまり、安心してみていられるタイプなのだ。

それに引き換え美涼は……。

私は、雨雲のように広がる娘への不満から意識を逸《そ》らした。

聖星女子大学付属幼稚園を受験するのが聡ならば、うまくいきそうな気がする。いや、きっとうまくいくと思う。

でも、美涼じゃなければ意味がなかった。

「ごめんなさい」

美涼が、小さく掠《かす》れた声で言った。私によく似た低めの鼻が赤くなり、小刻みにひくついている。

頭の中に蘇《よみがえ》りそうになる色褪せた映像を、慌てて打ち消した。

もうひと言、私が娘に完璧を求めれば……結果はみえていた。

「もういいわ。おいで」

つらく当たり過ぎたぶんを取り戻さねばならないような気持ちに駆られて、それまでと一転した優しい声音で美涼に呼びかけた。

「あ……聡、これをお願い」

ハイヒールに通そうとした右足を玄関マットに戻し、弁当箱の包みを聡に預け、私は寝室へ引き返した。

ドレッサーの抽出《ひきだし》を開けた。目的のものはなかった。

たしかに、この抽出の一番上に入れたはずだった。

ジュエリーボックス、簞笥の上、ヘッドボード……どこにもなかった。

「落としちゃったのかしら」

私は膝をつき、ドレッサーやベッドの下を覗き込んだ。やはり、みつからなかった。

頭の中に、彼女の顔が浮かんだ。焦燥感が背筋を這い上り、胃に疼痛が走った。

ほかの部屋には、持ち出していないはず。

ドレッサーの抽出とジュエリーボックスの中身をカーペットにぶちまけた。ベッドの掛布団を剝《は》ぎ、枕を裏返しにした。

床に腹這いになり、ベッドの下に右腕を差し入れた。指先になにかが当たった。そのなにかを人差し指で転がしながら手繰り寄せ、右腕を引き抜いた。

掌に握られていたのは、コートのボタンだった。

「ママーっ。まだー?」

聡の声に導かれるように、目覚まし時計に視線を投げた。

登園時間まで、あと十五分しかない。

あれがないとなにを言われるかと考えただけで、胃の疼痛が激しくなった。

私は立ち上がり、ドレッサーの角を両手でしっかりと摑み腰を落とすと、歯を食いしばり踵《かかと》に重心をかけた。カーペットが弛み、ドレッサーが手前に移動した。

ほんの少し開いた隙間《すきま》に横にした躰を滑り込ませ、窮屈な体勢で腰を屈《かが》めた。

ドレッサーの裏側は、掃除の行き届かない場所なので、黴臭《かびくさ》く、埃《ほこり》が積もっていた。埃や抜け落ちた髪の毛を指先で掻き分けた。

ない、ない、どこにもない……。

「ママーっ」

「いま行くから、待ってなさいっ」

いら立った声を返し、重い足取りで寝室を出た。

聡と美涼の待つ玄関へ続く廊下が、私には、とてつもなく長く感じられた。

2

「あら、今朝は遅いんですね？」

三号棟の前の路上でたむろする主婦連中のひとり……中西家の隣に住む依田早苗《いださなえ》の瞳には、好奇のいろが浮かんでいた。

彼女の周囲の取り巻きも、それまで目まぐるしく動いていた唇を申し合わせたように閉じ、まるで宇宙人でもみるような眼つきで私をみつめた。

この庶民的な都営住宅に住む彼女達にとって、国立の付属幼稚園を目指す私の存在は、宇宙人同様に理解の範疇《はんちゅう》を超えているに違いなかった。

「お弁当を作るのに、手間取っちゃいまして……」

私は、強張った頰に無理やり微笑《ほほえ》みを拵《こしら》えた。

洋服を合わせるのに時間がかかってしまったなど、言えるわけがなかった。

毛玉の目立つカーキ色のセーター、くたびれたスエット、シミの付着したエプロン、色褪せたジーパン……。

依田早苗をはじめとする主婦連中の身なりは、私が身を置く世界の奥様方とは明らかに違う。

「お受験を控えたお母様は、なにかと大変ねぇ。ウチの子は、出来が悪くて助かったわ」

依田早苗が皮肉っぽい口調で言うと、取り巻きの主婦達も口々に同意し、大袈裟に頷《うなず》いた。

私は、彼女達が苦手だった。

ただでさえ日本人は、周囲との協調と和を重んじる民族だ。とくに都営住宅の主婦達の結束は信じられないほどに強固で、少しでも変わったことをする者がいれば弾《はじ》かれ、格好の噂の種にされてしまう。

私のやろうとしていることは、野花の中に薔薇を咲かせようとしていることと同じだ。

それでも、薔薇に相応《ふさわ》しい人間であるのなら、嫌味を言われることもなかっただろう。

現実に、十和子が子供を連れて私の家に遊びにきたときには、遠巻きにひそひそ話こそしていたものの、本人を前にするといつもは威勢のいいリーダー格の依田早苗も、媚《こ》びた愛想笑いを浮かべることしかできなかった。

理由はわかっていた。それは、十和子が本物の薔薇であるから……。

「遅れますので、これで失礼します」

私は、依田早苗の皮肉を曖昧《あいまい》な笑みで受け流し、自転車置き場へ急いだ。

こうやって可もなく不可もない態度で話題を受け流す術《すべ》は、お受験ママ達とのつき合いで鍛えられていた。

深くかかわり過ぎればいろいろと面倒なことが起こるし、かといって避ければ無視される。それは、野花も薔薇も同じだった。

「しっかり摑まってなさい」

荷台の聡とハンドル側の補助椅子の美涼に声をかけ、私はペダルを踏み込んだ。

三百メートルほど自転車を走らせたところで、通りの右手に煉瓦《れんが》造りの瀟洒《しょうしゃ》なマンションがみえてきた。

ペダルを踏み込む足に力を入れた。自転車の速度を上げた。

この時間だからもういないとは思うが、万が一ということがあるので気は抜けない。

背後で、シャッターの開く音がした。思わず、ハンドルを切り損ねそうになった。

一万分の一の確率が、現実になりそうだった。

エンジン音が、次第に大きくなった。私は、ペダルを踏むピッチを上げた。

しかし、自転車が車に敵《かな》うはずもなかった。

駅とは違う方向に行ってしまうが、左に曲がろうか？　でも、車の主は必死にペダルを漕ぐ女性が私だとわかっているだろうし、逃げたと思われはしないだろうか？

あれやこれやと考えているうちにクラクションが鳴り、濃紺のベンツが視界の隅に現れた。

「のぶ子」

観念して、ブレーキをかけた。

「あら、おはよう」

いま初めて気づいたふうを装い、私は、運転席の窓から顔を出す十和子に微笑みかけた。

彼女の子供達……こずえと隆弘《たかひろ》が、後部座席の窓から美涼と聡に手を振っていた。

ふたりの顔が得意げにみえてしまうのは、気のせいだろうか？

「よかったら、乗っていかない？　あなたは助手席で、子供達四人なら後ろの席に座れるわ」

「ありがとう。でも、自転車を置いていくのも心配だし、遠慮しとくわ」

「どうせ、駅に停《と》めるんでしょう？　ちゃんとカギをかければ大丈夫だって。盗まれるときは、駅でも同じよ」

十和子が、朗らかに笑った。

何事にも臆さず、奔放で、はっきりと物を言うところは昔と少しも変わっていなかった。

性格面だけではなく、洗練されたファッションセンスも、派手な顔立ちも、人を飽きさせない話術も……そして、いつも話題の中心にいるところも。

私とは、すべてにおいて対照的だった。

「そういう意味じゃないのよ。やっぱり、違反はよくないわ」

束の間、十和子が黒目がちな瞳で私をみつめ、それから、形のいい唇を上品な輝きを放つダイヤの指輪を嵌《は》めた左手で押さえて声高に笑った。

私は、左手をそっと十和子の視界から死角になる位置に隠し、眼を伏せると彼女の笑い声から意識を逸らした。

「あなたも相変わらずね。じゃあ、遅れないように」

ベンツがあっと言う間に、私を置き去りにした。

「ねえねえ、隆弘君のママ、どうして笑ってたの？」

「どうしてかしらね」

聡の問いかけを受け流し、私はふたたびペダルを漕ぎ始めた。

会話を受け流すたびに、行き場を失った感情は澱《おり》のように胸奥深くに沈んでいった。

3

「あ、そうそう、私ね、昨日、東都医大の藤城《ふじしろ》君に会ったのよ」

正面に座る川名《かわな》芳江《よしえ》が、ティーカップを口もとに運びかけた手を止め、興奮気味に言った。

彼女の細く折れそうな手首に巻かれたカルティエの腕時計に、視線が吸い寄せられた。

「藤城君って、あの、背が高くてハーフみたいな彼？」

芳江の隣で、ファッション誌から顔を上げた菅原《すがわら》真理子《まりこ》が、興味津々といった表情で訊《たず》ねた。

頷く芳江。

「彼、昔と変わってた？」

私の横でシフォンケーキを頬張っていた秦野《はたの》順子《じゅんこ》が、身を乗り出した。

真理子も順子も、気が遠くなるような値段の指輪やブレスレットを嵌めていた。

私は、店に入る前に、唯一の宝飾品である結婚指輪を外していた。

最初からしてこなければいいとは思っても、夫に申し訳ないような気がするのだった。

私は、メニューとともに置いてある、読みたくもない紅茶に関しての蘊蓄《うんちく》に視線を落としていた。

「全然。二十代みたいに、若々しかったわ」

芳江のうっとりした声に、順子と真理子がため息を漏らした。

どうやら、今日のメインディッシュの藤城という男性は、みなの憧憬の的だったようだ。

「藤城君と、どこで会ったんですか？」

ハンドミラーを覗き込み小鼻をパフで叩いていた白井《しらい》恵美《えみ》が、必要以上に見開いた黒目がちの瞳を芳江に向けた。

「赤坂のプリンセスガーデンホテルよ。昨日、ウチの兄が主催するワインパーティで、彼に声をかけられて。もう、心臓が止まるかと思ったわ」

芳江が、大袈裟に左の胸を押さえておどけた口調で言った。

彼女の兄は、プリンセスガーデンホテルのソムリエだ。二十代の頃に、フランスのなんとかという大会で日本人で初めて優勝したらしい。

「へぇ、そうなんだ。彼、芳江さんのお兄さんの知り合いなんですか？」

「ううん。兄に訊いたら知らないって。私、もっといろいろ話したかったんだけど、連れがいたから……」

「連れって、これ？」

順子が小指を立て、芳江が頷いた。

「嘘……ショックだわぁ」

真理子が、肌艶《はだつや》のいい頬を両手で挟み込み嘆息を漏らした。

「なに言ってるんですか。あんな素敵なご主人がいながら。優しくて、背が高くて、あの若さで副院長。真理子さん、これで不満ならバチが当たりますよ」

恵美が、窘《たしな》めるように言った。

「ウチの主人なんて、院長の顔色を窺《うかが》ってばかりで私のことなんてそっちのけなんだから。恵美ちゃんのご主人のほうこそ、子供の面倒もよくみるし立派だわ」

「隣の芝生はなんとやらですよ。最近じゃほら、銀行の不祥事が続いてるでしょう？　だから、風当たりが強くて、家族のことはほったらかしですよ」

恵美が、肩を竦《すく》めてカプチーノに口をつけた。

まただ。

真理子の夫は私立病院の副院長、恵美の夫は大手都市銀行の支店長。

目白の閑静な住宅街の一角……翼幼稚園から歩いて十分ほどの喫茶店、ローズ・フェアリーに集まるたびに、彼女達のさりげない自慢合戦が始まる。

視線こそ下に落としてはいるものの、聴覚の神経は彼女達の一言一句に張り詰め、過剰反応していた。

私以外の五人は、同じ大学だった。

十和子、芳江、真理子、順子が同学年で、恵美だけが二年後輩だった。

五人ともテニスのサークル仲間で、大学時代はよく連れ立って遊んでいたらしい。

彼女達の交遊は社会人、主婦になっても続き、月曜日から金曜日までの週に五日間寄り集まる幼稚園のお迎えの時間までのティータイムに、子供のいない恵美と順子も欠かさず参加していた。

子供がいないといっても、それは形になっていないだけの話であり、ふたりは妊娠していた。

たしか、恵美が二ヵ月目、順子が四ヵ月目だと聞いていた。

ほかは、芳江に美涼と同い年の男の子が、真理子に聡と同い年の女の子がいる。

五歳の長男と二歳の長女という組み合わせの子供を持つのは、私と十和子だけだった。

ティータイムの間、美涼は十和子や芳江の子供達と一緒に、ローズ・フェアリーから目と鼻の先の恵美の実家に預けられていた。恵美の実家は託児所を経営しているのだった。

因《ちな》みに、私と十和子、そして芳江の三人は、聖星女子大学付属幼稚園の受験に備えて、週に二回、高田馬場にある若葉英才会に子供を通わせている。

若葉英才会は幼稚園受験の登竜門と言われており、東京のみならず、千葉や埼玉からもおしめが取れたばかりの幼児を連れた母親達が熱心に通い詰めていた。

一年前に、こずえが若葉英才会に通っていると人伝《ひとづて》に聞いた私は、彼女のあとを追うように美涼を入会させた。夫は渋ったが、強引に説き伏せた。

というのも、若葉英才会の月謝は週に一回の授業で三万五千円、二回で六万四千円もかかり、医師でも弁護士でもないごく普通のサラリーマンの家庭にとっては大きな出費であり、夫が難色を示すのも無理はなかった。

相変わらず、彼女達の自慢合戦は続いていた。

ウチの夫なんて、と言いながらも、その表情にも声音にも自信が満ち溢《あふ》れていた。

じっさい、彼女達の夫は、誰も彼もがエリートと呼ばれる類《たぐ》いの職業に就いており、収入も中西家とは桁がひとつ違っていた。

中でも、子飼いの弁護士を数十人も雇う大手弁護士事務所を経営する十和子の夫は際立っていた。

小、中学校と高校の十二年間、十和子と一緒でなければ、私が彼女達の輪に加わることは絶対になかっただろう。

見方を変えれば、私は、本来そこにいるはずのない人種ということになる。

紅茶の蘊蓄も読み終わり、やることのなくなった私は、ティーカップの中の琥珀《こはく》色をスプーンで掻き回した。

「この前だって、上司の弟さんが車屋らしくて、つき合いだからって、七百万もする新車を買ってきたのよ。信じられる？　もう、男の人ってどうしてこう見栄っ張りなのかしら」

シフォンケーキの最後のひと切れを口に放り込み、順子が肩を竦めた。

「そうそう、わかるわかる。ウチの人も、証券会社に勤めている友人の売り上げに協力するために、株に一千万も投資しちゃって。いまじゃ株価も暴落して、大損よ」

嘆くふうを装い、順子と張り合う真理子。

七百万の車に一千万の株……そこでは、別世界の会話が交わされていた。

いたたまれなくなり、トイレに立とうとしたときだった。

「のぶ子さんのご主人も、やっぱりそうなんですか？」

不意に、恵美が水を向けてきた。

端《はた》からみれば単なる好奇心に取れるが、私にはわかっていた。

彼女の質問には、明らかに悪意が籠《こも》っている。

「え……なにが？」

しらを切りつつ、これから先の被害をどう最小限に食い止めるかに思惟《しい》を巡らせた。

ひとつ言葉を間違えれば、彼女達の時間潰しの格好の材料となってしまう。

「接待とか、見栄を張って衝動買いをするとか。そういうことって、あります？」

あくまでも、屈託なく質問を重ねる恵美。

「ああ。ウチの人は、そういう……」

「のぶ子の旦那さんは、教材の営業だから接待とか関係ないわよね」

十和子が、あっけらかんとした口調で言った。

膝の上に置いた掌が、スカートの裾を握り締める。

「前から訊きたかったんだけど、のぶ子さんのご主人の会社って、どんな教材を販売してるの？」

待ってましたとばかりに、芳江が身を乗り出した。

私は、この華奢でお喋りな女性のことが、あまり好きではなかった。

その薄い唇は、隙あらば誰かの陰口を叩いている。

裕福であるなしにかかわらず、主婦連中に共通しているのは噂話が好きな生き物だということだが、芳江は度が過ぎていた。

「中学受験や高校受験を控えたお子さんを対象にした教材なの」

「もしかして、訪問販売とかをやっている会社？」

芳江が、アイス・カフェ・オ・レのストローを含んだまま、嘲《あざけ》りの籠った眼を向けてきた。

返す言葉がなかった。悔しいが芳江の言うとおり、夫は俗に言うルートセールスマンなのだ。

会社から与えられた受験生のいる家庭の名簿をもとに一軒ずつ回り、営業をかけて教材を売り込み歩合給を得る……それが、夫の仕事だ。

好奇のいろを宿した視線が、私の唇が開くのを待っている。

「さあ……。私は、主人の仕事のことはよくわからないから」

一流の夫を持つ妻達の前で、認めることはできなかった。

「夫婦だからって、そのへんははっきりさせといたほうがいいわよ。クーリングオフとかで、よく、揉めているじゃない。私の知り合いで消費者センターに勤めている人がいるんだけど、ローンを組むまで居座る押し売りみたいな悪質な業者が多いんですって」

「まあ、怖い」

「そういう人がウチにきたら、どうしましょう」

恵美と順子が、次々と不安を口にした。

彼女達が、本当に押し売りの訪問に不安を感じているわけではなかった。

みなの目的は夫の仕事を愚弄《ぐろう》し、私を嘲ることなのだ。

たしかに、夫は飛び込みもするルートセールスマンだ。ときには、契約を取りたいがために、教材を必要としていない家庭に購入を勧めることもあるだろう。

でも、押し売りにたとえるのはひど過ぎる。

「幼稚園受験に親の仕事が影響すること、のぶ子さんも知ってるでしょう？」

芳江が、口角を吊り上げた。

「え？　親の仕事内容まで影響するんですか？」

恵美が白々しく質問する。いくらまだ子供がいないとはいえ、お受験ママ達と昵懇《じっこん》の間柄の彼女が、そんな初歩的なことを知らないはずがない。

「あら、常識よ。去年、聖星を受験した奥さんが言ってたんだけど、一次試験に合格したあとに、ご主人の会社に関係者らしき人から電話があったんですって」

「嘘でしょ⁉」

順子が頓狂な声を上げた。

屈辱よりも不安が先に立ち、危惧と懸念が競うように背筋を這い上った。

「本当よ。でも、よくよく考えてみれば、大手の企業が内定した学生の身辺調査をやる時代なんだから、当然よね。なんといっても、聖星は国立ですもの」

国立、の部分にひと際力を込め、芳江が私に窺うような視線を投げた。

「もう、いいじゃない。のぶ子の旦那さんの会社が訪問販売をやっているわけじゃないんだし、もしそうだとしても、押し売りみたいな仕事をしているわけじゃないのよ？　ね、そうでしょ？」

十和子が、同意を求めるように顔を覗き込んでくる。

私は、情けないくらいに弱々しく頷くことしかできなかった。

彼女達の不服そうな視線が、十和子にではなく私に向けられた。

「さあ、新しいお茶でも飲み直して、なにか別のお話をしましょうよ」

十和子の呼びかけに、みな、素直にメニューを手に取った。

私の脳裏に、ふと、二十年以上も昔の光景が蘇った。


五年生に進級して初めてのホームルームは、各委員を決めることが議題だった。

私は、四年生のときも三年生のときも、三学期間を通して清掃委員をやっていた。

私の通っていた小学校には、学級委員、風紀委員、保健委員、給食委員、体育委員、図書委員、清掃委員の七つがあり、三十五人の児童を五人ずつ均等に振り分けるのだった。

委員を決める際には、まず、担任教諭が希望者を募る。当然、人気のある委員には希望者が殺到し、その場合はくじ引きとなる。

たとえば、風紀委員を希望していた児童が五人の枠に漏れたときには、二番目に希望していた委員に立候補するのだが、運の悪い児童は何度もクジで弾かれてしまう。

他人と競い合うことが苦手な私は、希望を出したことはなかった。

みながそれぞれの委員に振り分けられるのを黙ってみていれば、必然的に不人気な清掃委員になるのだった。

そのときも、思ったとおりに清掃委員の枠だけが最後まで残り、クジに負け続けた不運な四人の児童達とともに、私はお約束のポストに自動的に就いた。

その四人にたいしては慰めや励ましの言葉をかけていたクラスメイトも、誰ひとりとして私には注意を向けなかった。

クラスでいじめを受けていたというわけではなかった。

ただ、私が清掃委員になるのは、モグラが土の中で生活するのと同じくらいに当然のことのように思われていたのだ。

予想外の出来事は、意外な人物が発したひと言で始まった。

——学級委員長は、吉田さんがいいと思います。

私は、高々と右手を挙げる十和子を呆気《あっけ》に取られた表情でみた。

クラスの代表的な意味合いのある委員長だけは、ほかの委員の児童も対象になるのだから清掃委員から選出されても不思議ではないが、問題は、推薦されたのが私だということだった。

十和子とは不思議な縁があり、一年生から五年生まで一度も別々のクラスになることはなかった。

彼女は私の唯一親友と呼べる存在だった。すべてにおいて消極的な私のことを、十和子はいつも気にかけてくれた。

給食の班決めのときに声のかからなかった私を自分の班に入れてくれたのも、遠足の際にひとり弁当の包みを解く私の隣に腰を下ろしたのも、十和子だった。

私は、子供心にも不思議に思ったものだ。

というのも、彼女は私と違い、いつも複数の取り巻きに囲まれているような人気者だった。私なんかに近づかなくても、遊び相手には困らないはずだった。

顔もかわいらしく、勉強もよくでき……なにより、明るく快活な性格が十和子がみなに好かれる理由だった。

じっさい、彼女は一年生から四年生まで、常に学級委員長か副委員長を務め、クラスの花形的存在だった。

お楽しみ会や音楽発表会のときなど、クラスメイトはもちろん、担任教諭までもが十和子を頼りにした。

私は、十和子がなぜあんなことを言い出したのかわからなかった。

えーっ、吉田さんが？　吉田なんかだめだよ。佐倉《さくら》、お前、なに言ってんだよ。とわちゃんが学級委員長のほうがいいよ。

私の懸念したとおりに、十和子が発言した直後に教室内がざわめいた。

それも、無理はなかった。

当時の私は、透明人間と呼ばれていた。いてもいなくても同じ、という皮肉を込めてつけられたあだ名だった。

クラス全員を取りまとめ、先導していく立場の学級委員長は、誰かが言ったように十和子のような発言力や行動力のある児童が相応しい。

つまり、私が一番苦手な、また、一番縁遠いポストだった。

——吉田さんは、いつもみんなが帰ったあとに掃除をしてるし、給食の後片づけなんかも手伝ってるし、クラスのために一生懸命頑張ってると思います。

十和子が私のことを褒めれば褒めるほど、ざわめきが大きくなった。

ざわめきの中から漏れ聞こえてくる心ない小さな悪魔達の声が、私の全身に棘《とげ》のように突き刺さった。

私は、鼓膜に力を入れた。そうすると、ちょうど鼻を摘《つま》んで息を吐いたときのように、耳の奥がパリパリと鳴り、周囲の音が聞こえづらくなることを知っていたのだ。

私は、絶え間なく耳の奥を鳴らし続け、鼓膜からざわめきをシャットアウトした。

十歳の少女は、ほかに心を守る術を知らなかった。唯一、公平な立場であるはずの担任教諭も、教室内に飛び交う不満の声に頷くありさまで、最後には、佐倉がやればいいじゃないか、のひと言で一方的な議論に断を下した。

ふたたび、教室内にざわめきが起こった。

でも、そのどよめきは、十和子が私を学級委員長に推薦したさっきまでとは質の違うものだった。

まるで、最初から申し合わせていたように、五年二組の学級委員長は十和子に決まった。

「のぶ子はなににする?」

はにかみながらも誇らしげに委員長就任の挨拶をする少女の顔に、メニューを差し出す十和子の顔が重なった。

「まだ残っているからいいわ」

私は、三分の一ほど紅茶が残っているティーカップを宙に翳《かざ》しながら、本心を見抜かれぬように慎重に言葉を選んだ。

「あら、でも、冷めているじゃない」

「私は猫舌だから、これくらいがちょうどいいのよ」

逆らう頰の筋肉を懸命に従わせ、私は薄く微笑んでみせた。

「だったら、アイスティーにすれば?　ね?」

親切心からなのだろうが、十和子は執拗だった。

「うーん、だけど、お腹も冷えちゃうし……」

「私も猫舌だから、冬でも冷たいのを頼むのよ。あ、のぶ子さん、もしかして、お茶代を心配したりしてる?」

芳江の瞳が、獲物をみつけた肉食獣のように輝いた。

「いやだわ。たかだか五百円よ？　心配なんてするわけないじゃない」

明るく、振る舞ったつもりだった。

声は震えていないだろうか？　顔は強張っていないだろうか？　本音を見抜かれていないだろうか？

芳江の言うとおり、私はたかだか五百円のお茶代を心配していた。

砂漠に花咲こうとする薔薇の気持ちは、彼女達にはとても理解できないだろう。

十分な水と養分に満たされた豊壌な大地に咲く薔薇は、その鮮やかな色彩を当然の権利として手に入れることができる。

枯渇した大地で同じ色彩を放つ花びらを咲かせるには、たとえ一滴の水をも無駄にはできない。

多くを望む気はなかった。また、望めもしなかった。

枝葉が枯れて深緑を失おうとも、燃えるような緋色《ひいろ》に染まった蕾《つぼみ》が開いてくれれば、それでいい。

「よかった。私、のぶ子さんがお茶代を節約しているなら悪いこと言ったなって思ったのよ。すみませーん」

芳江が上っ面だけの言葉を並べ立て、ウエイターを呼んだ。

「私はアップルティーをください」

十和子の注文を皮切りに、芳江がアイス・ミルクティー、順子がシナモンティー、真理子がカフェ・オ・レ、恵美がオレンジティーを頼んだ。

私は、問題が解けずに居残りをやらされている生徒のように胸が急《せ》き立てられた。

恵美の注文を取り終わったウエイターが、当然のように私のほうに向き直った。

「のぶ子さんは、どうするの？」

芳江が、追い討ちをかけてくる。

「芳江。のぶ子はいらないって言ってるんだから、無理強《じ》いしちゃだめよ」

十和子が、助け船を出してきた。

私の周囲の温度だけが、急激に下がったような気がした。なのに、躰は湯上がりのように火照《ほて》っていた。

ウエイターが私から眼を逸らし、居心地が悪そうにそわそわと落ち着きがなくなった。

スカートの裾に、また、指先が食い込んだ。


——学級委員長は、吉田さんがいいと思います。

あのときも、そうだった。彼女には、いつだって悪意はない。

「レモンティーをください」

みなの、意外だという視線が私のささやかなプライドを傷つけた。なにより、その、「みな」、の中にウエイターが入っていたのが許せなかった。

「なんだか、お腹が減っちゃったわね。ケーキでも、頂こうかしら。ねえ、なにがお勧め？」

十和子のおかげで、堪え難いシーンが早送りされた。でも、次に映し出されたシーンは、さらに堪え難いものだった。

「そうですね。さっぱりしたものがお好みならばカシスの入ったヨハネスベーレとか、濃厚なものですとデンマーク製のクリームチーズを使用したレア・フロマージュなどいいかと思います」

開いたメニュー。ウエイターの口にしたケーキの値段を、視界の端で捉えた。

レア・フロマージュが六百円に、ヨハネスベーレが五百五十円……馬鹿馬鹿しい。

近所のスーパーに売っている三百五十円のケーキでさえ買うのを躊躇《ためら》っているというのに。

「じゃあ、カシスのほうを頂くわ」

十和子の注文に続き、芳江、順子、真理子、恵美がケーキを注文した。飲み物のときと同じ光景を、ビデオのリプレイでみているようだった。

た。

「私も彼女と同じものを」

飲み物のときと違うのは、すぐにヨハネスベーレをウエイターに注文したということだった。

レモンティーが二杯とケーキを合わせた千五百五十円の出費は、私にとって大きな痛手だった。

しかし、あんなに恥ずかしく情けない思いをするよりはましだ。

「ねえ、芳江。まだ、あれやってるの？」

真理子が、肩口に触れる毛先を指に絡めながら思い出したように訊ねた。艶のあるさらさらとした髪に埋もれる指先を、私はじっとみつめた。

真理子もほかの四人も、毎日のように美容室に通っている。美容室だけではない。

彼女達は、暇さえあれば髪をセットしたり、エステティックサロンで肌の手入れをしたりと、美の追求に余念がない。

じっさい、十和子など二十代後半といっても通用する若々しさを保っており、ふたり並んで歩いていると私が五、六歳は上にみえる。

別に、私はそれでも構わなかった。夫とふたりの子供がいる母親が着飾る必要はない。

「あれって、ガラガラのこと？」

問い返す芳江に、真理子が頷いた。

「やってるわよ。確率ですべてが決まるんだから、コツを摑んでおかないとね」

芳江が、当然、といった顔で右手をぐるりと回した。

ガラガラとは、スーパーの福引きのときに使用されている、一回転させて色玉を出す抽選器のことだ。

彼女は、自宅に抽選器を持っており、毎日、百回は回して当たり玉を出すコツを研究しているらしい。

もちろん、熱海の温泉旅行のチケットを当てようというわけではない。

国立聖星女子大学付属幼稚園の一次試験は、抽選方式を採用しているのだ。

しかも、驚くべきことに抽選法はスーパーの福引きと同様にガラガラを使用しており、赤玉が不合格で白玉が合格となっている。

受験者の保護者が長蛇の列をなし、ひとりずつひな壇に上がり抽選器を回す様は滑稽でさえあった。

しかし、ハンドルを握る親達は至って真剣であり、その緊張感たるやスーパーの福引きの比ではなかった。

去年の例で言えば、千四百二十人の受験者にたいして一次試験の合格者は二百四十三人で、三歳児にかぎっては定員の二十人にたいして四百三十八人が殺到した。

受験に備えて一年も二年も前から習い事教室に通わせたり、通学範囲は電車で三十分以内という条件を満たすために住民票を移したりと、全身全霊を傾けてきた結果が赤玉白玉で決まってしまうのだから、親達が殺気立つのも無理からぬことだった。

白玉は赤玉よりも軽いから最初の列に並べば外れの確率が高く、後列になるほどに当たり玉が多く出る、または、勢いよく回せば軽い白玉は浮いてしまって遠くへ逃げるので、ゆっくり回したほうがいい、などなど、親達の抽選にたいする執念は凄まじいものがあった。

中には、野球のドラフトのようにクジ運の強い知人に抽選の代行を頼む者もいるほどだ。

芳江のように、抽選器を自宅に持ち込み特訓を積んでいる者は珍しくない。

じつを言えば、私もスーパーの顔馴染みの店員に抽選器の入手法を訊ねたひとりだった。

店員からは、福引きを主催している業者に頼めばなんとかなるという返事を貰《もら》っていたが、部屋で抽選器を回している姿を眼にした主人の反応が怖くて、購入するまでには至っていなかった。

「でも、聖星ほどの名門が、ガラガラで合格者を決めるだなんて……おかしいと思わない？」

順子が、新しく運ばれてきたばかりのケーキを放り込んだ唇を不満げに歪《ゆが》めた。

彼女はいつも甘い物ばかりを食べているが、スリムな体型を維持している。

私は、お風呂上がりに鏡に映した自分の裸体を頭に思い浮かべた。

「公平だということをアピールして、私立との差を出したいんじゃないの？」

芳江がシニカルな笑みを浮かべつつ、肩を竦めた。

心臓が、ハイテンポな鼓動を刻んだ。

私は、はやく抽選の話が終わることを祈った。

「二次試験だって、わけわからないしね」

真理子が、芳江に合いの手を入れるようにため息を吐く。

二次試験は面接なのだが、その実態は、子供達が積み木や絵を描いて遊んでいる姿を面接官が観察するだけという、とても曖昧なものだった。

なにを基準に合格不合格を決めているのかわからず、口の悪い親達は裏取引があるのではないかと実《まこと》しやかに囁《ささや》き合っていた。

「ほら、去年、聖星に合格した西村さんの娘さん……瑞江ちゃんって言ったっけ、いろいろと言われたでしょう？」

順子が身を乗り出し、声を潜めた。それが合図だとでもいうように、みなが前屈みになる。

私も、彼女達に倣《なら》った。白い鳥の中にほかの色の鳥が交じることを絶対に許さないというのがこの世界の掟だ。

「ああ、あの子ね。面接のときに、積み木を投げたり泣き出したり、大変だったみたいよ」

「瑞江ちゃんのお父さん、聖星の出身なんですって」

芳江の核心をオブラートに包んだような言い回しに、みなが予定調和の驚きの声を上げた。

こうして、生《い》け贄《にえ》がまたひとり、嫉妬という獣の前に差し出されるのだ。

しかし、いまは、抽選の話題から遠ざかり、私には好都合だった。

「西村さんのご主人って、毎年、聖星に物凄い額の寄付をしてるの知ってました？」

「せっかく美味《おい》しい紅茶とケーキを頂いてるんだから、別の話をしましょうよ」

ずっと口を噤《つぐ》んでいた十和子が恵美をやんわりと窘め、明るい口調で生け贄を救った。

「ねえねえ、みんな、これ持ってきた？」

十和子が、小さな巾着のようなものから白い玉を取り出し、宙に翳してみせた。

私の頬は、彼女の笑顔とは対照的に硬く強張った。

「もちろんよ」

芳江が真っ先に、そして、恵美、順子、真理子が十和子と同じ白い玉を摘んだ手を宙に掲げた。

「あれ、のぶ子さんは？」

よく囀《さえず》る小鳥の嘴《くちばし》のように唇を尖《とが》らせた芳江が、やはり最初に反応した。

この瞬間に、大きな地震でも起きてくれたなら……。

私は、そんな不謹慎なことを考えるほど精神的に追い詰められていた。

「ごめんなさい。今朝、遅刻しそうでバタバタしてて、忘れちゃったの」

私は、高田馬場駅に向かう途中で、自転車を漕ぎながら考えた言い訳を平静を装い口にした。

どこを捜しても見当たらなかったとは、口が裂けても言えなかった。

「のぶ子さん、余裕ですね」

恵美が、垂れ気味の眼を三日月形に細め、皮肉っぽく微笑んだ。

あどけない童顔が、底意地の悪さをいっそう際立たせていた。

「なにが？」

私は、指先の震えを悟られないように手を膝の上に置いた。

本当は恵美の言いたいことはわかっていたが、気づかないふりをして訊ねた。

「だって、験《げん》なんて担がなくても、美涼ちゃんが合格する自信があるんでしょう？」

「そんな……自信なんてないわよ」

「またまた、謙遜しちゃって。私なんて、藁《わら》にも縋《すが》る思いで片時も手放せないわ。受験とは関係のない恵美ちゃん達だって持ち歩いてくれているっていうのに……ねえ？」

芳江が恵美の皮肉を受け継ぎ、みなに同意を求めた。

十和子だけは頷かずに、興味なさそうに真理子のファッション誌を捲《めく》っていた。

「のぶ子さんって、いつも、私達の話に興味なさそうだものね。今日だって藤城君のことを話しているときに、会話に入ってこなかったし」

二個目のケーキを早々と平らげた順子が、椅子の背凭《せもた》れに深く身を預け、冷たい視線を投げてきた。

「そんな、私は……」

「順子、それは違うわよ」

耳を疑った。あの芳江が私を擁護するとは、信じられなかった。

「のぶ子さんは、ほら、私達と違って保母さんの専門学校だったから、明徳《めいとく》女子大と東都医大のダンスパーティのこと知らないじゃない」

疑問は解けた。それが言いたくて、芳江は私を庇《かば》う素振りをみせたのだ。

私は手にしたおしぼりで、ついてもいないシミを拭き取るふりをしてスカートを拭いた。

あら、いやだわ。そんなことまで口走り、顔の火照りが冷めるのを……彼女達の関心が逸れるのを待った。

「あ、そうだったわね。ごめんなさい、のぶ子さん」

「いいのよ、そんなこと……」

私は、頑固なシミと格闘していてそれどころじゃないといったふうに、俯いたまま小さく手を振った。

「いまのは順子の勘違いだったけど、のぶ子さんが私達を避けているんじゃないかっていうのは感じるわ」

真理子が、せっかく消えかけた個人攻撃の火種を再燃させようとする。

「あなた達、そんなふうに言ったらのぶ子がかわいそうよ」

十和子の声が、鼓膜の奥で耳鳴りに掻き消された。

体温が、急激に上昇したような気がした。掌と太腿の裏に汗が滲んだ。

「十和子は、本当に人がいいわね」

誰かの声が、耳鳴りに絡みつくように忍び込む。

「そんなことないわよ。あなた達より、のぶ子のことを知ってるだけ。みんな、彼女を誤解してるのよ」

誰かの声が、誰かの声に重なった。
おしぼりを持つ手の甲に落ちた滴《しずく》が流れて、スカートの紺色の一部を色濃く染めた。
私は、本当についたシミにそっとおしぼりを当てた。

4

新聞を捲る紙の擦《こす》れ合う音、焼酎を啜《すす》る音、梅干しの種をしゃぶる音……グラスの底がテーブルを叩く音で、私はクレヨンをテーブルに置いて顔を上げた。

腰を浮かせ、夕刊紙の株の欄に視線を向けたままの夫が差し出す右手に握られた、ふやけた梅肉だけになったグラスに人肌の温度の湯と焼酎を注いだ。

湯と焼酎を注ぐ順番を間違えると、夫はすこぶる機嫌が悪くなる。

梅干しの種をピチャピチャと舐《な》める音が、かんに障った。

仕事では絶え間なく回り続けているだろうその口は、我が家の玄関に足を踏み入れたとたんに貝になるのだった。

私はクレヨンを手に取り、作業に戻った。

動物の顔というのは、意外に難しいものだ。童話的に描くのはそうでもないのだが、そこそこリアルに、というのがなかなか厄介だった。

二歳の幼児にみせる紙芝居なのだから童話的な絵でも十分なのだが、ただし、それは、お受験に関係のない幼児の話だ。

日頃慣れ親しんでいる環境が、人格形成に影響を与えるのは大人も子供も同じだ。

漫画を愛読書にしていれば、小説を読んでいる者よりも創造力が失われ、漢字を忘れてゆく。

幼児も、あまり稚拙な作品ばかりに触れさせていると、いつまでも幼稚っぽさが抜けない子供に育ってしまう。

子供だからそれでいいと言ってしまうのは、お受験の世界を知らない人間だ。

「そんな手間がかかることをやらなくても、本屋に行ったらいくらでも絵本とか売ってるだろう」

私の手もとにちらりと視線を投げ、夫が呆れたように言った。

夫もまた、お受験の大変さをわかっていないひとりだった。

「幼稚園受験は、手間をかけないとだめなのよ。市販の絵本を買えば楽で見栄えはいいかもしれないけど、実用的じゃないの」

「ふうん、そんなもんか」

夫は、心ここに在らずといったふうに夕刊紙のページを捲った。

彼の言葉が、私のやっていることに関心を寄せて出たものでないのは、最初からわかっていた。

私もまた、夫に理解を求めたくて説明したのではない。

ただ、そのくせ、返事をしなければああだこうだと子育てについての蘊蓄を長々と傾けてくる。

夫の、大黒柱としての取るに足らないプライドにつき合っている時間も精神的余裕もなかった。

市販の絵本が実用的でないというのは、本当のことだった。

嘘を吐かない、欲張らない、怠けない、他人にたいして思いやりの心を持つ、自然の恵みに感謝し大切にする、愛に勝るものはない……等々、絵本というものは登場人物やストーリー展開に違いはあれど、日本中、いや、場合によっては世界中の子供達が眼にするという性質上、あたりまえのことしか書かれていない。

たしかに、どれもこれも大切な教えに違いはないのだろうが、はっきり言ってお受験には役に立たないことが多かった。

自然の恵みに感謝しても靴下をひとりで穿けないような子は二次試験の面接で落とされるだろうし、愛情深く育っても気弱であれば厳しい競争社会を勝ち抜いてはゆけない。

少なくとも、嘘を吐かない、欲張らないというふたつの教えは、役に立たないどころかマイナスに作用することさえある。

だから私は、どんなに大変であろうと、いま現在の美涼に必要なこと……相手の眼をみてはきはきと喋る、着替えや歯磨をひとりでできるようになる、すぐに泣かない、きびきびと行動する、友達に負けない、ということを、一頭のぐずで気弱な小熊を主人公にした物語で娘の頭に刻み込むつもりだった。

幸いなことに、一時期保母を目指していた私は、お手製の紙芝居や人形作りを得意としていた。

それに、手作りならば市販の絵本よりも安くつく、という利点もあった。

児童書は、いい紙質を使い子供の興味を引くために華やかな色彩をふんだんに使用しているので値段が高く、千円を超えるものはざらだった。

今日は、つまらない見栄を張ってしまい三回分のお茶代を使ってしまった。

これからは、いままで以上に倹約していかねばならず、切り詰められるものはどんどん切り詰めていくつもりだった。

本当は、いま夫が飲んでいる千二百円の焼酎も、ランクが下の銘柄に替えるか、もしくは、一回の晩酌の量を減らしてほしかった。

夫は、この七百二十ミリリットルの焼酎をだいたい三日で空ける。ということは、一ヵ月で一万二千円の酒代がかかっている計算だ。

もし八百円の焼酎にしてくれれば、月に四千円が浮く。四千円もあれば、美涼の洋服代にあてることができる。

私は一張羅のスーツで我慢しても、国立の付属幼稚園を目指そうという娘には、十和子や芳江の子供と並んでも恥ずかしい思いをしない身なりをさせたかった。

しかし、寝る前の晩酌が、連日外回りで靴底を磨《す》り減らして頑張っている夫の唯一の愉しみだと知っているので、なかなか言い出せないのだった。

「今日、帰りに北林さんの奥さんに会ったぞ」

相変わらず、飴玉をそうするように梅干しの種をしゃぶりながら、夫が口を開いた。

「十和子に？」

小熊の色を塗っていたピンクのクレヨンを持つ手を止め、顔を上げた。

「マンションの駐車場から出てきたところをバッタリな。こずえちゃんも一緒だったぞ」

「こんな時間に？」

壁かけ時計の針に眼をやった。午後十一時三十分。夫が帰ってきたのは、二時間ほど前だった。

「習い事の帰りとか言ってたな」

「習い事？　なんの習い事よ⁉」

自分でも驚くほどの、強い語調で訊ねていた。

今日は水曜日。美涼も通っている若葉英才会は、月曜日と水曜日だ。ほかに、習い事をしているような話を十和子から聞かされたことはなかった。

「そんなの知るか。それより、お前も北林さんの奥さんを少しは見習ったらどうだ？」

夫が、右の頬と唇の端だけを吊り上げるいやな笑みを浮かべた。

「十和子を見習うって？」

私は、顔を夫から画用紙に戻し、クレヨン塗りを再開した。

「その格好だ。いくら家の中だからって、もうちょっと気を使えよ」

色褪せた紺色のトレーナーに臙脂色のジャージのズボン。

たしかに、気を使っているコーディネートとは言えない。

だが、問題なのは、いつもは妻の装いに無関心な夫が、今夜にかぎってなぜそんなことを口にしたのかだった。

「十和子、凄く決まってたでしょう？　幼稚園のお迎えのときにも、モデルさんみたいな格好をしてるんだから」

他愛ない噂話といったふうを装い、明るい口調で言った。

クレヨンのピンク色は、小熊から大きく食《は》み出て背景の木や空を塗り潰していた。

「その反動かどうか知らないけど、家ではまったく無頓着なんですって」

十和子から、そんな話を聞いたことはなかった。

でも、これくらいの嘘なら、許されてもいいはず。嘘を吐く相手は私の夫なのだから、十和子に迷惑はかかりはしない。

「そんなわけないだろう」

夫が呟《つぶや》いた。クレヨンを持つ腕の動きが、ふたたび止まった。

聞こえないふりをすることもできたが、気づいたときには、頰と鼻を赤らめた夫の顔を凝視していた。

夫はさりげなく視線を逸らし、唾液に塗れた種を小皿の上に吐き出すと、新しい梅干しに手を伸ばした。

「もう、そのへんでやめておいたら」

つい、険を含んだ声音になってしまった。

「なんだ。梅干しくらい、ケチケチするな」

まったく気にするふうもなく、夫は毟り取った梅肉を焼酎のグラスに落とし、音を立てて指先をしゃぶると種を口に放り込んだ。

夫の、ひとつひとつの仕草が、いちいち私をいらつかせた。

「ケチケチするわよ。あなたが飴玉みたいに食べているその梅干し、二千円もするんですからね。これから、聡も小学校に入るし美涼も受験だし、いろいろとお金がかかるんだから、あなたも、節約できることは節約してほしいのよ」

「三百円の煙草を二百七十円の国産銘柄に下げ、スーツは量販店の吊しで我慢し、昼は牛丼屋の二百九十円の並、同僚の飲みの誘いを断って家で晩酌。これ以上、どうやったら節約できるのか教えてほしいよ」

夫が、皮肉たっぷりに言った。

「知り合いの旦那さんの中には、お酒と煙草をやめた人もいるわ」

言い過ぎている、ということはわかっていた。しかし、私が面と向かって自分の意見を言えるのは、夫しかいなかった。

「お前、俺に酒や煙草もやめろっていうのか？　だいたいな、美涼の受験だって、お前が勝手に決めたことだろう？　通園区域だからって、無理に国立を受ける必要なんてないんだ。考えてもみろ？　国立の月謝が安いといっても、受験する子供の家庭のレベルは高い。ウチらのような平凡なサラリーマン家庭とは住む世界が違うんだよ。第一、美涼がかわいそうじゃないか。なにも考えないで我儘《わがまま》を言って、甘えていたい年頃なのに、親の都合で望みもしない受験戦争に巻き込まれるなんて。俺はな、正直、美涼が聖星を落ちてくれることを願っているよ。受かったら受かったで、また、地獄が待ってるわけだからな」

激しい衝撃音が鳴り響く。私がテーブルを叩いた振動で、夫が持つグラスの中で梅肉が浮く透明の液体が波打ち、煙草の灰が舞った。

「なんだ、お前……急にどうしたんだ？」

夫が、立ち上がった私を悄然《きょうぜん》とした顔で見上げた。

「幼稚園受験はね、子供ではなく、親のすべてが試されるの。縁起でもないこと、言わないでちょうだいっ」

私は、自分でも驚くような激しい口調で言った。

「ごめんなさい……」

呆気に取られる夫に詫び、椅子に腰を戻した。

今後の夫婦生活を……というよりも、美涼の受験環境を考え、私は敢えて折れた。

一次試験の抽選日まであと二ヵ月もないというのに、夫の言っていることは話にならなかった。

受験を認識し自ら望む二歳の幼児など、いないのは当然のことだ。

だからこそ、親が子供に同化する必要があるのではないか。

どれだけ習い事をやらせたか、どれだけ本や紙芝居を読んでやったか、どれだけ幼児言葉を改めさせる訓練を行ったか、どれだけ身の回りのことをひとりでできるようにしつけたか。

子供のためにどれだけの時間を割き、また、どれだけのお金をかけたかで、すべてが決まってしまうと言っても過言ではない。

子供が不合格になること即ち、親が否定されたことになるのだった。

美涼を合格させるために今後一ヵ月を水だけ飲んで凌げというのなら、喜んで断食しよう。

一生涯のうちで定められた幸福を使い果たせというのなら、快く余生で不幸を受け入れよう。

私にとって、美涼を聖星女子大学付属幼稚園に入園させるということの前では、いかなることも犠牲の対象となる。

美涼が不合格になるのなら、どんなに恵まれた生活も、どんなに円満な夫婦関係も、紙屑ほどの価値もない。

「もう、寝る。明日は会議があるから、六時に起こしてくれ」

私と眼を合わせようとせずに立ち上がった夫が、おぼつかない足取りでキッチンをあとにした。

読後感の悪い小説を読んだときのような気分で、私は画用紙にクレヨンを走らせた。

5

私は、気が気ではない思いで、視線を右に左に巡らせた。

日曜日の午前中。都営住宅から五十メートルほど離れた児童公園の砂場には、美涼を含めて五人の子供達が遊んでいた。

美涼以外の四人のうちふたりは十和子と芳江の子供で、ほかのふたりは若葉英才会に通っている子供達だった。

「ウチの弘《ひろし》は三千九百グラムもあったから、もう、出産が終わったあとはへろへろで抱き上げることもできなかったわ」

「あ、わかるわかる。ウチもそうなんです。芳江さんのお子さんほどじゃないけど、園美《そのみ》も三千七百グラムあったから大変だったんですよ」

五人の中でひとりだけ二十代の金井《かない》ゆり子が、十代の小娘のような弾んだ声音で芳江の言葉を引継いだ。

九月も半ばを過ぎたというのに、下品に膨らんだ胸を強調するようなノースリーブのワンピースを着ている彼女も、若葉英才会では地味なブランドスーツに身を包み、人が変わったように慎ましやかにしている。

「千賀子はね、生まれるときはすんなりいったんだけど、十ヵ月の半ばくらいにはもう立ち上がってちょろちょろ動き回っていたから、気の休まる暇がなくて」

田辺静子が、ふたりの会話に合わせるふうを装いながら、さりげなく自分の子供の話題に掏《す》り替えようとしていた。

ゆり子とは対照的に露出の少ない薄手のセーター姿ではあったが、私がよく足を運ぶスーパーの婦人服コーナーでワゴンに積まれているバーゲン品とは明らかに質が違うのは傍目にもわかった。

「あら、千賀子ちゃんも？　こずえも這い這いするのがはやくて、そこら中にあるものをなんでも口に入れようとするから、片時も眼が離せなかったわ」

掌で砂山を固めるこずえをみつめながら、十和子がため息交じりに言った。

芥子《からし》色のパンツにデニムの黒いジャケット、ジャケットの袖口からわざと覗かせたオフホワイトの長袖シャツ。

いかにもモデルの普段着といった装いの十和子のファッションセンスは、レベルの高いお受験ママ達の中にいてもひと際目立っていた。

私はといえば、ひと回りサイズの小さなピチピチのジーンズに色褪せたトレーナー……ある意味、幼児連れの公園というシチュエーションの中では、誰よりも適した格好をしていた。

私は、四人の子供と離れた位置でひとり小さな砂山を作る美涼に注意を払いながらも、娘がそうしているように、砂場の前のベンチに座る四人の母親から距離を置いて佇《たたず》み、彼女達の会話に聞き耳を立てていた。

大変だ大変だと言ってはいるが、それはポーズに過ぎなかった。

母親にとっては、赤ん坊が生まれたときに何グラムだったか、子供が何ヵ月で這い這いをし、また、立ち上がったか、そのひとつひとつが、自慢の対象になるのだった。

お受験だけではなく、生まれたときから彼女達の子供は競争社会のスタートラインに立たされているのだ。

美涼が、こずえ達の砂山に近づいた。どうやら、スコップが目当てのようだった。

私は思わず、身を乗り出した。

いやな予感がした。案の定、四人の中のひとり……弘が、スコップを拾い上げた美涼の手を摑んだ。

「これは僕のだ。持っていくなっ」

その瞬間、彼女達の囀りがぴたりと止《や》んだ。

あたかも、もっとおもしろい遊びをみつけた子供のように。

息子の声に気づいた芳江が、厳しい視線を向けてくる。

ゆり子は、心配げな顔の割には瞳を輝かせ、静子は、いつでも芳江の加勢をできるように身構え、十和子だけは見知らぬ女性が連れた犬の頭を撫でていた。

「美涼、スコップを弘君に返しなさい」

私は砂山に駆け寄り、物静かに諭した。子供達の手前、大声を出すわけにはいかなかった。

「弘君のじゃないよ。みんなのスコップだもん」

珍しく自己主張する美涼をみて嬉しいと思う反面、焦りが込み上げる。

「でも、先に使っていたのは弘君達でしょう？」

私は背中に彼女達の視線を感じながら、美涼の目線に屈み、根気強く言い聞かせた。

「だって、みんな、スコップ使ってないもん」

美涼が、ふっくらとした頰を赤らめ、四人を指差した。

美涼は、いつになく強情だった。

それも、無理のない話なのかもしれない。

あれをやっちゃだめ、これをやっちゃだめ。

今日にかぎらず、暗黙の了解で顔を揃える「砂場の集い」で、私はいつも美涼に我慢を強いていた。

娘だけ離れたところで遊んでいるのも、私がそうさせていたのだった。

みなで遊んでいると、必ず小さな諍《いさか》いが起こる。その原因が美涼にあった場合、私も娘もいま以上に肩身の狭い思いをしなければならない。

それが、娘に、ひとり遊びが好きな女の子、を演じさせ、ほかの子供達の輪から遠ざけている理由だった。

大人と違って忍耐力というものが備わっていない子供同士なのだから、ある意味、諍いが起こるのは当然の結果であり、むしろ、譲り合い、揉め事もなく遊ぶ子供達のほうがよほど不自然だった。

謹厳実直な男性が、または地味で目立たなかった女性が、突然に世間を騒がせる大事件を起こすのは、思春期に反抗期を経験していないのが原因になっている、となにかの本で読んだことがあった。

反抗期とは自我の萌芽であり、言い換えれば大人になるための重要な儀式である。

その大事な時期に親や教師から感情を抑え込まれて育った子供は、蓄積した鬱憤を長期間に亘《わた》って溜め込み、十数年遅れの、人によっては数十年遅れの取り返しのつかない反抗期を迎えるのだった。

哀しいときに泣き、腹が立ったときに怒るという行為は、幼年期であればあるほど不可欠なことだ。

排泄を限度を超えて我慢すれば肉体が蝕《むしば》まれるのと同じに、感情の発散を抑制すれば精神だって蝕まれてしまうのだった。

親の欲目ではなく美涼の主張はまったく正しいものであり、少なくとも、私が眉間に縦皺を刻み説き伏せるようなことではなかった。

しかし、娘の正当性を認めてしまえば親が弾かれてしまい、そうなると、お受験どころの話ではなくなってしまう。

幼稚園受験は孤独な戦いであると同時に、小学校、中学校、高校、大学と続く受験戦争の中で、最も、親同士の絆《きずな》の強さが必要となってくる。

みなから疎外されてしまえば、まず、情報が入りづらくなるのだ。

たとえば、面接のときにはあるブランドのスーツを着ていけば印象がよくなるとか、面接会場に入るときには子供と手を繋いでいたほうがいいとか、男の子の場合、名を呼ぶときにはちゃんづけしないほうがいいとか、ＯＢから語り継がれた様々な習わしがある。

たいていは、迷信と変わらないような根拠のないものばかりだが、藁にも縋る思いのお受験ママ達はまるで天啓を受けたとでもいうように忠実に実行する。

情報に疎くなること以上に厄介なのは、お受験ママ達の白い眼だ。

孤立するとなにをやるにも誹謗中傷の対象となり、精神的に追い込まれ、中にはノイローゼになる者もいる。

ノイローゼにならないまでも、かなりのストレスが鬱積し、外側に発散できないぶん、捌《は》け口は内側……夫や子供に向けられてしまう。

家庭には揉め事が絶えず、もう、お受験どころの話ではなくなる。

だから、母親達はみな、自分を殺してでも絆を大事にするのだった。

なぜなら、彼女達は、お受験に失敗したときこそが、本当に自分が死んでしまうことになると知っているからだ。

「美涼。とにかく、スコップを返して弘君に謝りなさい」

「どうして？　美涼、悪くないもん」

悪くなくても謝るの。それが、私達のためだから。

もちろん、口には出さなかった。それを理解させるには、娘はあまりにも幼過ぎた。

「いいから、ママの言うとおりに……」

「のぶ子さん、もう、いいわよ。かわいそうでしょ？　だって、美涼ちゃんは悪くないんだから」

いつの間にか背後に立っていた芳江が、悪くないんだから、という部分に力を込めて言った。

「でも……」

「弘。みんなと、あっちで遊んでおいで」

私の言葉を遮り、芳江がブランコのあるほうを指差した。

「みんな、行こう」

弘が先頭で駆け出し、三人があとに続いた。

ひとり取り残された美涼が、眼と鼻を赤くして私を見上げた。

娘にたいして憐れだという思いが、同情よりもいら立ちを募らせた。

声を荒らげるのを我慢する代わりに、私は娘を置き去りにして砂場を離れた。

「のぶ子、ここにいらっしゃいよ」

十和子がベンチから立ち上がり、いままで自分が座っていた場所を指差した。

ベンチは四人が座れば空きがなくなり、私はずっと立ちっ放しだったのだ。

「ありがとう。でも、大丈夫。足の鍛練にもなるから」

私は珍しく冗談めいたことを口走り、十和子の善意をやんわりと躱《かわ》した。

彼女の心遣いが事態を暗転させるということを、これまでいやになるほど体験してきた。

「三十分も立っていれば、十分に鍛練できたでしょ？　ほらほら」

十和子が私の肩に手を置き、静子とゆり子の間へ座らせた。ベンチの端から、ひと足先に戻っていた芳江が不満げな視線を向けてきた。

「のぶ子。美涼ちゃん、もっとみんなの輪に溶け込めるようにしたほうがいいんじゃないの？　聖星の二次試験で不利になるわよ」

頭上から降り注ぐ十和子の声に、躰が過敏に反応した。

「そうなのよ。でも、あの子、引っ込み思案だから」

「それは、親の責任よ。のぶ子がずっと離れたところに立っているから、美涼ちゃんも同じようにするのよ。子供は、親の言うことを聞かないけど、親のやっていることはまねするものだから」

脇腹に差し込むような疼痛が走り、胃が収縮を繰り返した。眼の奥が熱を持ち、こめかみがズキズキと痛んだ。

「そうね。親が見本にならなきゃね」

それだけ言うのが、やっとだった。

肉体が、異変を訴えていた。それが精神的なものからきているだろうことは明らかだった。

「美涼ちゃんって、いつも、ああやってひとり遊びをしているの？」

私は、六歳下のゆり子の物言いに不快を覚えた。

目上にたいしての言葉遣いが云々《うんぬん》、というような説教染《じ》みたことを言うつもりはなかった。

最近の若い母親は、よく言えば屈託がなく、悪く言えば礼節に欠けているコが多かった。

私の住む都営住宅に、ゆり子と同年代の真奈美という二児の母がいた。

彼女は決して気立ての悪い女性ではなかったのだが、やはり、ゆり子同様に言葉遣いがなっていなかった。

真奈美のようにただの礼儀知らずならば、いちいち目くじらを立てることはしない。

私を不愉快にさせるのは、真奈美と違いゆり子が、ほかの三人にたいしてはきちんとした敬語を使っているということだった。

「上が男の子だから、しようがないわね」

ゆり子と眼を合わさずに、ひとり寂しく砂山を作る美涼の小さな背中をみつめながら言った。

「たしかこずえちゃんにも、お兄ちゃんがいたんですよね？」

十和子に訊ねるゆり子の言葉遣いも声音も、私のときとは別人のようだった。

「ええ。のぶ子のところと同じ、上の子が五歳で下の子が二歳よ」

「こずえちゃんも、お兄ちゃんとはあまり遊ばないんですか？」

ゆり子の、卑しい期待を含ませた語調は、しつこく芸能人に食い下がるワイドショーのリポーターを彷彿《ほうふつ》させた。

自然と、ハンカチを握る指先と嚙み合わせた奥歯に力が入った。

「そんなことないわよ。ウチの隆弘は、こずえのお人形遊びによくつき合ってくれてるわよ」

「面倒見のいいお兄ちゃんですね。私も、隆弘君みたいな子供が欲しいわ」

ゆり子が十和子を持ち上げる。

その若さには不似合いな長《た》けた処世術が、誰のそばにいれば得をするのかを教えてくれるのだろう。

人形遊びとまではいかないが、聡も、美涼と一緒に絵を描いたり、絵本を読んであげたり、面倒見はいいほうだ。

隆弘は面倒見がいいというよりも、単に女性っぽいだけだ。何度かこずえと人形遊びをしているところをみたことがあるのだが、着せ替えをさせているときなど、妹を差し置いてひとりで夢中になっていた。

その点、聡は、お兄ちゃんらしくいつも一歩引き、根気強く美涼の相手をしていた。

「あら、ゆり子さんはまだ若いんだから、子供を作ればいいじゃない。園美ちゃんも弟や妹ができれば喜ぶわよ」

「いえいえ、園美だけで精一杯です。女の子って、育てかたを間違えると大変ですから」

言って、ゆり子が意味ありげな視線を美涼に向けた。

「のぶ子さん。美涼ちゃんを、みんなのところへ連れて行ってあげたら。十和ちゃんの言うように、協調性は大事よ。いまのうちに社交性を養っておかないと、お受験のためばかりじゃなくて、大人になってからもなにかと苦労するから。あなたが一番わかるでしょう?」

また、芳江の皮肉が始まった。

「だけど、あの子はマイペースで、ひとりで遊んでいるほうが好きなのよ」

私の言葉とは裏腹に、美涼はつまらなそうな顔でスコップで地面を掘り返していた。

「のぶ子さんも、そうだったの?」

静子がレモンティーの缶を傾けながら、悪気のないふうに訊ねてくる。

悪気なく、という言い回しは、彼女達のような人種にはじつに都合のいい武器だ。

悪気があろうがなかろうが、傷口を抉られたときに感じる痛みに変わりはない。

いつものように曖昧な笑みで受け流す。武器を持たない人間は、激痛にじっと耐え、傷口がいま以上に広がらぬようにするしかなかった。

静子の質問にたいする答えは、イエスでありノーだった。

美涼と同じように、幼い頃からずっとひとりだった。

大勢の友人と連れ立ってなにかをした、という覚えは、クラスの行事以外では、小学校から高校まで一度もなかった。

たまに、十和子が声をかけてくれたときに行動をともにするくらいのものだった。

孤独が好きなわけではなく、孤独でいるしかなかった。

少なくとも、ひとりでいるぶんには、誰かと言い争ったり、誰かに気を使う必要もなかった。

友人との交流がなければ、そんなに好きでもないテレビドラマの話を興味深そうなふりをして聞かなくてもいいし、誰かが百点を取った、誰かが男の子とデートをした、という話にやきもきすることもない。

ひとりなら、趣味も食べ物の好みも容姿も性格も同じ、「自分」という友人だけを相手にしていればよく、意見の衝突も嫉妬もなく、なにより、傷つけ合うことがなかった。

もともと、生活環境も物の考えかたも能力も違う者同士に仲良くしろというのが無理な話なのだ。

価値観が違えば、多かれ少なかれ摩擦が生じ、そうなると敵対意識や競争意識が芽生え、ひとりなら煩わされなくてもいいことにエネルギーを浪費してしまう。

切磋琢磨《せっさたくま》することで人間は成長するとしたり顔で言う者は、少しもわかっていない。

ほとんどの動物は水を飲むが、中には、ウサギのように水をやれば体調を崩してしまうものもいる。

人間も同じだ。

なにかのテレビドラマで主役の俳優が、「人」という字は互いに支え合っている、だから人間はひとりでは生きてゆけない、というようなことを言う場面があった。

私は、そうは思わない。

たしかに、「人」は支え合っているふうにみえるが、逆のみかたをすれば、ひとりが手を離せばひとりは倒れるということだ。

だから人間は和を重んじるのだろうが、私はごめんだ。

いまの世は、親が子を、子が親を殺す時代だ。ましてや血の繋がりのない他人同士で、永遠に相手を支え合う人間関係など存在するはずがない。

悪気なく人に立ち直れないほどの傷を与え、悪気なく人を奈落の底に叩き落とす……それが、人間という生き物の本能だ。

ならば、初めから、他人を頼る生きかたなどしなければいい。もちろんその中には、夫も含まれている。

人間はひとりでも、いや、ひとりだからこそ生きてゆける。聡と美涼にたいしてでさえ、支えてもらおうと思ったことは一度もなかった。

私の役目は、ふたりの子供が巣立つその日までを全力で支えることだった。

とくに美涼……彼女が私の思いを具現してくれれば、孤独のうちに朽ち果て土となっても構わなかった。

その瞬間のために、私は忌み嫌う支え合いの世界へ身を置いているのだった。

「そういえば、昔からのぶ子はひとりが好きだったわね」

十和子が、懐かしそうに眼を細めた。

同じ時代《とき》を共有した者同士が、必ずしも同じ気持ちで当時を振り返るとはかぎらない。

「やっぱり、そうだったんだ」

ゆり子が、好物のメニューが並ぶ食卓に着いたときのように弾んだ声で言った。

私は、彼女の言葉の意味を考えた。彼女とは、ゆり子ではなく十和子のことだ。

単純に昔話に思いを巡らせたふうにも聞こえるし、ゆり子を煽《あお》る目的があったようにも取れる。

前者であったにしても、少しでも相手を思いやる気持ちがあれば軽率な発言は控えるはずだ。

「子供って、似てほしくないところばっかし似るのよねぇ」

芳江がさらりとした口調で、私の傷口に爪を立てる。

「ウチもそう。私、凄い偏食家なのよ。焼き肉がいいと思ったら、一週間連続でも平気。千賀子も、十品並べてもハンバーグならハンバーグしか食べないし、本当に、困っちゃうわ。でも、自分に覚えがあることだから、強く言えないでしょう？」

ノーメイクと言いながら、しっかりとアイライナーを引いて寝起きのシーンに挑む女優のように、静子の困り事は少しも恥ではない。

恥ずかしいどころか、一週間も続けて焼き肉を食べ、毎食ごとに十品ものおかずを並べることのできる生活を自慢しているようにも聞こえた。

「あ、いけない。私、そろそろ行かなきゃ。こずえ、いらっしゃい。ピアノのレッスンの時間よ」

十和子が、大声で、しかし、聖星を受験する子を持つ母親に相応しくありたいという、品を意識した柔らかな声音で娘を呼んだ。

「あれ、こずえちゃん、ピアノ習ってるの？」

芳江が、びっくりしたような顔を十和子に向けた。

私は表情こそ変えなかったものの、心では芳江に負けないくらいに驚いていた。

反面、疑問が氷解した。夫が水曜日の夜にこずえを連れた十和子に会ったときは、ピアノ教室からの帰りだったのだ。

「うん、一ヵ月くらい前からね」

一ヵ月前……。そんなに昔から、こずえが若葉英才会以外の習い事に行っていたなど知らなかった。

「どこの……」

「ママ、行こ！」

芳江が質問を重ねようとし、私が耳をそばだてたとき、こずえが駆け寄り十和子の手を引いた。

「じゃあ、お先に」

私は、遠ざかる十和子の背を未練がましい眼で追った。

「はぁ……そうですか。ありがとうございました」

私は、受話器を戻さずにフックを人差し指で押さえたまま、電話帳に掲載されている電話番号を赤線で消し、次の欄に視線を移した。

プッシュボタンを押し、コール音が途切れるのを待った。

『岡島ピアノ教室ですが』

「あの、つかぬことをお訊ねしますが、そちらに、北林こずえさんという生徒さんは通ってますでしょうか？」

『失礼ですが、どういったご用件でございましょうか？』

それまでの二十三件と同じように、電話の向こう側からは訝《いぶか》しげな声が返ってきた。

「道端で楽譜の入ったバッグを拾ったのですが、女の子の名前しか書かれていなくて……。それで、こうして音楽教室に電話をしているのです」

それまでの二十三件と同じように、私は世話焼きな通行人を演じた。

『まあ、そうでしたの。残念ながら、北林さんというお子さんはウチにはいませんわ。お力になれなくて、ごめんなさい』

最初とは打って変わった同情的な口調で、女性が言った。

「いえ、こちらこそ、お忙しいところありがとうございました」

力なく礼を述べ、電話を切った。大きなため息を吐き、二十四件目を赤線で消す。

こずえの通っているピアノ教室を探すために、高田馬場を手始めに電話をかけ、いまは目白に移っていた。

自宅の近所にポイントを絞ればすぐにみつかるだろうと考えていたのだが、甘かった。

もしかしたならば、電話帳に載ってないようなところ……たとえば知人に個人レッスンを受けているのかもしれないし、近所ではなく遠くへ習いに行っているのかもしれない。

後者の場合なら、それだけ評判のいい教室だという可能性があった。

「それは困るわ」

焦燥感が、無意識に独り言を口走らせた。

聖星女子大学付属幼稚園に合格するのに、ピアノを習うことが有利に働くかどうか私にはわからなかった。

しかし、十和子は、昔から無意味なことはやらない女性だった。

積極的に行動しているようにみえて、意外と慎重なタイプなのだ。

高校を卒業し疎遠になっていたふたりが再会を果たしたのは、十和子からの八年振りの電話がきっかけだった。

その当時、私も十和子も既に結婚していたのだが、彼女から生活臭は一切感じられず、それどころか、成熟した女の色香をほどよく纏い、高校時代よりも一段と眩《まぶ》しい女性へ変貌していた。

その変貌が、秘書を務めていた大手弁護士事務所の有名弁護士の妻となったことに関係しているのかはわからないが、とにかく、十和子の輝きは格段に増していた。

偶然にも、そう離れていない場所に新居を構えていたのだが、片や家賃十四万の都営住宅、片や家賃五十万近い超高級マンション住まいという境遇が、学生時代よりもふたりの間に大きな差がついてしまった事実を私に教えてくれた。

再会は、十和子の家で果たされることになった。

中西家のすべての部屋がすっぽりとおさまってしまいそうな広大なリビングの応接ソファで、私は面接に訪れた家政婦希望者のように身を硬くしてかしこまっていた。

——仕事を辞めようかどうかを迷っているの。彼は好きにしていいって言うんだけれど、経営者の妻が職場にいるとほかの人達がやりにくいと思うのよ。いままでは同僚や部下だった人間が、社長夫人になるわけでしょう？　それに、はやく子供も欲しいし……。

積もり積もった昔話に区切りがついたときに、十和子が本題を切り出してきた。

自慢やおのろけも多少は交じっていたのだろうが、彼女は真剣に悩んでいた。

そして、小、中、高をともにした幼馴染み同然の十和子から相談を持ちかけられたのは初めてのことだった。

十和子が、私にすべてを預けたということではなかった。

きっと彼女は、私に電話をかけてくるまでの間に、身近な人間に相談し尽くしたに違いなかった。

それでも迷いが残っていたからこそ、数年振りに旧友に会おうという気になったのだろう。

――十和子が、自分自身で下した決断を信じたほうがいいと思うわ。いままでだって、それでうまくやってきたじゃない。

本音だった。私の知るかぎり、十和子ほど順風満帆な人生を歩んできた女性はいない。

それもこれも、派手な容姿や言動からは窺えない周到さがあってのことだ。

そんな十和子が、一次試験まであと二ヵ月を切ったという大事な時期に、娘をピアノ教室に通わせ始めた。

恐らく、面接のある二次試験を見据えてのことに違いなかった。

問題なのは、こずえがどこのピアノ教室に通っているかということだった。

高田馬場とはいわないまでも、せめて新宿区内ならば偶然を装って美涼を習いに行かせることもできる。

だが、それが渋谷や世田谷などになってしまうと、こずえのあとを追ったということがみえみえになってしまう。

「ママ、お腹空いた」

「美涼も」

二十五件目に取りかかろうとしたときだった。茶の間のドアが開き、聡と美涼が現れた。

壁かけ時計に眼をやった。午後三時を五分回っていた。児童公園から戻ってきたのは十二時半頃だったが、ピアノ教室を探すのに夢中になり、ふたりに食事を作るのを忘れていた。

「もうちょっと待っててね。すぐに、なにか作るから」

顔をテーブルの上の電話帳に戻し、プッシュボタンを押した。

『はい、アカデミー音楽教室です』

私はそれまでと同じ質問を繰り返し、同じ質問を受け、同じ芝居をし、同じ返事を聞いた。

城西ピアノ学院、中島ピアノ教室、ドレミの会、ハロー音楽教室、田丸ピアノ教室……三十件を数えても、落とし物をした北林こずえを知る者は誰もいなかった。

骨盤がむず痒《がゆ》くなる。テストの問題が解けずに残り時間が少なくなったときに、私はよくそうなった。

背中に、視線を感じた。受話器を握り締めたまま、首を後ろに巡らせた。

聡はいなくなっていたが、美涼がお腹に手を当ててしゃがみ込んでいた。

「ママ、ご飯……」

「もう少し待ってって言ってるでしょ!? どうしてあなたは、いつもママを困らせるの!? いま、ママはあなたのために頑張っているんだから、美涼も頑張ってちょうだいっ」

また、子育ての本でやってはいけないとされていることを実践してしまった。

私は、鼻を赤らめ俯く三十一年前の「私」を視界から消し、指先で叩きつけるようにプッシュボタンを押した。

6

書き終えた入会申込書をロココ調の猫脚テーブルに置き、室内に首を巡らせた。

薄いグリーンのクロスが貼られた壁には、数々の感謝状や賞状、そして高価そうなパーティードレスに身を包んだきつい顔立ちをした女性と、テレビでよくみかける政治家のツーショット写真がかけられていた。

その女性はほかにも、朝のワイドショーにレギュラー出演している弁護士や大物俳優とも一緒に写っていた。

これみよがしの写真といい、派手な内装といい、女性が目立ちたがり屋であるのは一目瞭然だった。

私は、葉の絵柄の入ったヘレンドのティーカップを口もとに運んだ。ブランドに無頓着な私がそれをわかったのは、十和子の家に呼ばれたときに出されたコーヒーカップが同じ柄のものだったからだ。

彼女の家を出た足でデパートに向かい同じ物を揃えようとしたのだが、一客数万円の値札を眼にして諦めたのだった。

ティーカップから立ち昇る上品な香りが鼻孔に忍び入る。中西家でいつも飲んでいるティーバッグの紅茶では、嗅ぐことのできない匂いだった。

「お行儀よくしなさい」

私は、隣に座り足をぶらぶらとさせる美涼の太腿を押さえながら諭した。

「これは、お受験の練習なの。いつもママが言っているように、院長先生の眼をちゃんとみて、はきはきと答えなきゃだめよ。それから、院長先生がいらっしゃったらママと一緒にすぐに立ち上がって、こんにちは、ってきちんと挨拶をするのよ」

美涼に顔を近づけ、昨日から何度も口にしていることを声を潜めて言い聞かせた。

頷くそばから、お尻をもぞもぞと動かし身を捩《よ》じる美涼。

「お行儀よくしなさいって、言ったばかりでしょ」

娘の背中を叩き、軽く睨《ね》めつけた。

「だって、お尻が痛いんだもん」

美涼が、くぐもった声で訴えた。

たしかに、高価ではあるのかもしれないが、テーブルと同じロココ調のソファはクッションの部分が硬く、家で使っているレザー生地のものに比べると座り心地がいいとは言えない。

「痛くても我慢しなさい。先生に嫌われたくないでしょう？」

嫌われるわけにはいかない。

一週間前の日曜日から、都内のピアノ教室や音楽教室に電話をかけ始めたのだが、結局、二百二十三件目の日宮《ひみや》ピアノ学院……こずえの通っている教室を突き止めたのは昨日のことだった。

場所は、自宅近所の高田馬場でも翼幼稚園のある目白でもなく、なんの関連性もない中野だった。

さすがに、偶然を装うには無理があり、一度は美涼を通わせることを諦めようとした。

しかし、インターネットで得た情報が私を翻意させた。

夫のパソコンで日宮ピアノ学院を検索した結果、驚くべき事実と十和子の目論見《もくろみ》を知ることになった。

学院長のプロフィールをクリックした私は、ディスプレイに視線が釘づけになった。

政財界や芸能界の著名人達と誇らしげに記念撮影をしている、恐らく学院長だろう女性の最終学歴は、国立聖星女子大学の音楽科となっていた。

もちろん、幼稚園から聖星だったのは言うまでもない。

ピアノ教室ならば、わざわざ中野まで習いに行かなくても近場にいくらでもある。

十和子の目的はただひとつ。聖星のOBが経営しているピアノ教室にこずえを通わせ、二次試験の面接官に好印象を与えるつもりに違いなかった。

あるいは、用意周到な彼女のことだから、学院長に取り入り二次試験の選考を有利に運ぼうとしているのかもしれない。

クジ引きの一次試験はさておき、面接などというあやふやな選考方法には政治力が介入する余地は十分にあった。

背後で、ドアの開く音がした。

さっと立ち上がり、後ろを向いた。視界の端の美涼は、まだ腰を下ろしたままだった。

焦燥と憤激が胃を焼き、口の中の水分を奪った。

「お待たせ致しました。わたくし、当学院の院長をやっております日宮と申します」

応接室に現れ横書きの名刺を差し出す四十代半ばの女性は、やはり、壁を埋め尽くす写真の中の女性と同一人物だった。

「はじめまして。中西と申します。娘の美涼です。ほら、院長先生にご挨拶して」

私はやんわりと、娘の背中に手を当て促した。

「中西美涼です」

ようやく美涼が立ち上がり、スカートの裾を指先でいじりながら上目遣いで日宮を見上げ、蚊の鳴くような声で挨拶した。

瞬間、日宮が眉根を寄せたのを見逃さなかった。

「まあ、ちゃんとご挨拶できて偉いのね。さあ、お座りになって」

白々しい笑顔を拵え美涼の頭を撫でた日宮が、夫が何度生まれ変わっても買えないようなダイヤの指輪がきらめく指先をソファに投げた。

「中西さん、お住まいは戸山《とやま》ですのね。当学院は、どちらかのご紹介で？」

申込書を手に取り、日宮が訊ねてくる。戸山から中野では、そう考えても無理はない。

「はい。野方《のがた》に学生時代からの旧友が住んでおりまして。それで、かねがねこちら様の噂を聞いてましして、ぜひ、娘を通わせたいと思っていたのです」

「そうでしたの。当学院には、群馬や静岡から通ってらっしゃる生徒さんもおりますのよ。ピアノは、情操教育に欠かせないものです。小さいうちに始めるほど、演奏の腕が上達するのはもちろんのこと、豊かな感受性と自己表現の能力の育成が促進されるのです。それだけではなく……」

私は、彼女の話にときおり相槌《あいづち》を打ち、一言一句聞き逃したくないというような真剣な表情を作った。

連日のようにお受験ママ達に鍛えられているので、この程度の自慢話に耐えるのは苦にもならない。

彼女達が虚栄を張りたがるのは、詰まるところ、自分に自信がないからだ。芳江も恵美も順子も真理子も、そして日宮も、本当はいつも不安に怯《おび》え、コンプレックスに苛《さいな》まれているのだ。

十和子は、どうだろうか？　彼女は、芳江達や日宮のように自分を飾ろうとせず、コンプレックスを感じているふうはない。

それどころか、ローズ・フェアリーでの「お茶会」のときも児童公園での「砂場の集い」のときも、彼女は常に自信に満ち溢れていた。

昔から、そうだった。

十和子が口を開けば生徒はおろか担任教諭も真剣に耳を傾け、登下校のときは大奥の奥女中のように取り巻きが群がった。

虚栄を張る必要も、餌で周囲を手懐《てなず》ける必要もなかった。それは、いまでも変わらない。

生意気な恵美やゆり子も、人を傷つけることを生き甲斐にしているような芳江も、彼女の前では従順な犬となり、また、無防備な猫となった。

私の前の彼女達と十和子の前の彼女達が、同一人物とは思えなかった。

誰かが言った。十和子は、向日葵《ひまわり》のような女性だ、と。

否定はしない。たしかに彼女には、奔放で陽気な魅力がある。

しかし、私の見方は違う。十和子は、向日葵にはない優雅さを兼ね備えている。

その優雅さは、成り上がりには決してまねのできない、生まれながらの令嬢にのみ与えられた余裕と言うべきか……。

「美涼ちゃんは、ほかになにか習い事に通ってますの？」

日宮の問いかけに、脳内のセンサーが素早く反応する。彼女の話はほとんど耳を素通りしていたが、上の空であったことを見抜かれていない自信はあった。

人の話に真摯《しんし》に耳を傾けているふうを装い、頭の中では別のことを考える。

誰よりも優れていると自負できる、私の唯一の才能だった。

以前の私は、こんなふうではなかった。

どうでもいいような内容でも、相手の話を愚直なまでに心に刻み込んだ。

試験勉強の際に関係のない箇所にまで赤ペンを引き、結局は教科書中を傍線だらけにしていたのが私という人間だった。

そんな私が、お受験ママ達や日宮の話を聞き流す術を身につけたのは、生きてゆくためだった。

彼女達の口から無尽蔵に吐き出される自慢、中傷、皮肉の一切を消化しようとするならば、間違いなく心が壊れてしまう。

「週に二回、高田馬場の若葉英才会に通っております」

私は、ほんの少しだけ誇らしい気持ちになった。

「まあ、では、聖星をお受験なさるの？」

日宮の瞳が輝いた。

一般の幼稚園に行く幼児は、若葉英才会に通ったりはしない。

思ったとおり、学院長の好奇心は刺激されたようだ。

「ええ。記念受験みたいなものですけど」

「だめですよ。そんな気持ちじゃ。お受験をすると決めたからには、全身全霊でぶつからなければなりません。聖星は素晴らしい幼稚園ですよ。小、中、高、大学としっかりした教育を受けられる保証を得られるわけですから、多少の犠牲を払う必要はあるでしょう。最近では、青少年の犯罪の低年齢化が深刻な社会問題になっており、公立校では、中学生が麻薬を教室で売り買いしているなんて話も聞きます。もちろん、すべての公立がそうだと言うつもりはありませんが、できるなら、安心して学生生活を送ることのできる環境にお子様を通わせるのがベストだと思いませんか？」

私は、無意識に身を乗り出していた。

聖星は素晴らしい幼稚園ですよ、と言ったときの日宮の顔が私の胸を締めつけた。

「在学時だけではありませんのよ。卒業して社会に出てからも、聖星の出身でよかったな、ということを痛感させられる出来事が数えきれないほどあります。就職にも、聖星のブランドは絶大な力を発揮しますのよ」

私の鼓膜からは、耳障りな加湿器の水蒸気の音やどこかの部屋から聞こえてくるピアノの調べは消え失せ、彼女の声だけがスポンジに吸収される水のように染み入ってきた。

「就職だけではなく、結婚して家庭に入ってからも、それは同じです。将来、美涼ちゃんにお子さんができて、もし、付属幼稚園を目指したいとなったときに、聖星のOBであるのとないのとでは、天と地ほどの開きがあると言っても過言ではありません」

干上がった喉《のど》を潤すために口もとに運ぼうとしたティーカップを持つ手が小刻みに震え、紅茶がさざなみ立った。

「ごめんなさい。美涼ちゃんが聖星を受験すると聞いて、ついつい話が横道に逸れてしまいましたわね。これをご覧ください」

私の顔色の変化を悟ったのか、日宮が優雅に立ち上がりデスクの抽出から取り出したパンフレットをテーブルの上に載せた。

「ここに写っている生徒さんは、去年の全日本音楽コンクールのピアノ選抜幼児部門で優勝しましたのよ。で、こちらの生徒さんは、一昨年の関東音楽祭の小学生低学年部門で惜しくも準優勝でしたの。それから、この生徒さんは……」

学院長の自慢話を、ふたたび聞き流そうとしていた私は、全日本音楽コンクールで優勝したという女の子の写真に視線が釘づけになった。

モスグリーンの制服に赤いリボン……母親の隣でトロフィーを両手で抱えるその幼児が着ているのは、聖星女子大学付属幼稚園の制服だった。

なんと利発そうな顔をした子供だろうか。なんと幸福そうな顔をした母親だろうか。

無理もない。国立付属幼稚園合格という最大の夢を叶えただけではなく、音楽コンクール優勝というご褒美までもらったのだから。

尾骨に伝わるソファの振動に、ただでさえ上昇気味の不快指数に拍車がかかった。

振動の原因は、宙を搔く美涼の両足だった。

あれほどきつく言い聞かせているのに……。

ついつい、写真の中の女の子と我が娘を比べてしまい、不快が焦燥に、焦燥が憤怒に姿を変えた。

教え子達の輝かしい「戦績」を語ることに夢中になる日宮の眼を盗み、私は憧憬の眼差しを彼女に向けつつ、そっと右腕を美涼の背後に回し、臀部を強く抓《つね》った。

電流が走ったように躰を硬直させた美涼が、両足の動きを止めた。ほどなくして、娘の耳朶《みみたぶ》とうなじに朱色が広がった。

美涼の視線を頬に感じたが、気づかぬふりをした。

人間には、生涯を通して、幸せと不幸の分量が均等に定められている、となにかの本で読んだことがあった。

それが本当ならば、写真の中で世界中の幸福を独り占めにしているような微笑みを湛《たた》える母親と娘には、いずれ、順風満帆に物事が運んだぶんに相応する厄災が降り懸かるはずだった。

偶然に、女の子の顔のあたりに位置していたパンフレットを持つ左手の親指の爪先《つめさき》に力が入った。

紙面にひと筋の白い亀裂が走り、慌てて女の子の顔を指の腹で隠した。

視線を、さりげなく下のほうへ……コース選択の欄に移した。

週に三十分のレッスンが二回のAコース、六十分のレッスンが一回のBコースは月謝が二万三千円。それぞれの時間が倍になるCコースとDコースになれば四万五千円。

高いだろうと予測はしていたが、まさか、ここまでとは思わなかった。

しかし、ここであと戻りするわけにはいかなかった。

「で、お母様は、美涼ちゃんをどのコースへ通わせたいとお考えになっていらっしゃるんですか？　ほかの習い事でお忙しいかとは思いますが、一番ベストなのは週に二回の六十分のレッスンですわ。週に一回だとせっかく習ったことを忘れがちになってしまいますし、週に三回になると覚えなければならないことが多過ぎて逆効果になる恐れがあるんです」

いかに自校の生徒が素晴らしいか、いかに自校の指導が優れているかをひとしきり喋り尽くした日宮が、核心に切り込んできた。

「私も、できればそうしたいのですが、来月から、若葉英才会のほかにもうひとつ習い事が増えるのです」

言った端から、後悔した。

もちろん、そんな予定も、金銭的余裕もない。一番安いコースの二万三千円でさえも、夫に内密にどう捻出しようかと困り果てているのだ。

「まあ、そうなんですの。絵画教室ですか？」

当然のように訊ねる日宮の言葉に、私のアンテナが敏感に反応する。

絵画教室も、二次試験に影響するのだろうか？　もしかして、十和子はこずえに絵も習わせているのだろうか？

「ええ……」

嘘を重ねた。行きがかり上、あとには退《ひ》けなかった。

「お子様に絵を習わせるのは、賛成ですわ。ピアノもそうですけど、創造力と感性が磨かれますからね。ところで、お母様。コースの話に戻りますけど、やはり、週に二回のレッスンは難しいですか？」

密かに、胸を撫で下ろした。どこの絵画教室かと追及されたならどうしようと気が気ではなかったのだ。

「はい。残念ですが、絵画教室のほうも週に二回なもので……」

「わかりました。では、Bコースということに致しましょう。曜日は、いつになさいます？」

「金曜日で、お願い致します」

迷わず、私は言った。

若葉英才会の授業は月曜日と水曜日。残る日、火、木、金、土の中から金曜日を選んだのは、夫の帰宅時間が理由だった。

夫が勤める教材販売会社では、毎週金曜日の夜に週間反省会が行われ、いつもより一、二時間帰りが遅くなるのだった。

夫の帰宅までに家に戻っていれば、新しい習い事がバレることはない。

風呂に入り、焼酎のお湯割りを啜り梅干しの種をしゃぶりながら新聞で株価の動きをチェックし、適当に酔いが回ったところで寝室に行く。

一家の主《あるじ》としての役目のつもりなのか、あるいは、とっくに崩壊している大黒柱としての威厳を保とうとしているのか、気紛れに聡や美涼の教育方針を口にしたときに対応さえ間違わなければ、子育てに無関心な夫にピアノ教室通いを隠し通すのはそう難しいことではなかった。

「金曜日のBコースは、五時から町田という女性の先生が指導に当たります。町田先生は、名門の北邦《ほくほう》音楽大学の出身で、全日本音楽コンクールのピアノ選抜成人部門で二年連続優勝し……」

私は、学院長の声を脳内から追い払い、二万三千円の月謝の捻出法に思惟を巡らせた。

「いい？ パパには、ピアノの先生に会ったことを言ってはだめよ。ママと美涼は、病院に行ったことになってるんだからね」

ペダルを踏み込みながら、ハンドルに備えつけた補助椅子に座る美涼に念を押した。

仕事が休みで聡の面倒をみている主人には、盲腸で入院した友人を見舞いに行くということにしていた。

高田馬場に到着したときには、午後一時を回っていた。はやく帰って昼食の支度をしなければ、夫の機嫌を損ねてしまう。

ただでさえ、休日に息子の世話を押しつけられて不機嫌なのだ。

「どうして、ピアノの先生に会ったことを言っちゃいけないの？」

風に流された美涼の声が、神経を逆撫でした。

「パパはね、ピアノが嫌いなの。だから、美涼がピアノを習うなんて知ったら、ひどく怒られちゃうのよ」

娘に嘘を積み重ねなければならない状況が、腹立たしかった。

あの人に十和子の夫の半分の理解と三分の一でも稼ぎがあったら、私がこんなに苦労することはなかった。

「ふーん。パパが嫌いなら、もう行くのやめようよ」

肌が粟立つようなスリップ音が空を切り裂き、景色の流れが止まった。

急ブレーキに、補助椅子で躰を前のめりにさせた美涼がびっくりしたような顔で振り返った。

「なんてことを言うの！」

周囲の視線が、私に注がれた。

怒りを呑み下し、慌てて取り繕った平静な顔でペダルに足をかけた。

どこに誰の眼があるかわからない。よからぬ噂が広まり、聖星の関係者の耳に入らないともかぎらない。

彼女らは、競争相手がひとりでも多く脱落することを切に願っている。我が子の抽選の合格率が一パーセントでも高くなるなら、悪意に満ちた密告くらいなんの躊躇《ためら》いもなく平気でやることだろう。

「ピアノを習うのは、美涼がお受験に合格するためなのよ」

ペダルを漕ぎながら、美涼の小さな背中に諭すように語りかけた。また、泣いているのだろう、その華奢な肩が小刻みに震えていた。

「こずえちゃんと、一緒の幼稚園に行きたくないの？」

私の問いかけに、美涼が首を巡らせ、予想どおりに涙に濡れた顔を向けた。

「美涼、こずえちゃんと一緒の幼稚園に行くもん」

「だったら、ママの言うとおりに頑張ってちょうだい。こずえちゃんと、別々の幼稚園になるのはいやでしょう？」

ハンドルをきつく握り締めた掌が、不快な汗にぬるついた。

「うん。美涼、ピアノ頑張る」

ひとまず、娘の機嫌を直すことはできた。泣き腫らした顔を夫にみられたら、厄介なことになる。

「さあ、危ないから前を向いて。お昼は、美涼の大好きなハンバーグ……」

言いかけて、玉葱《たまねぎ》を切らしていたことを思い出した。

「ママ、どうしたの？」

ブレーキをかけ、いまきたばかりの道を引き返す私に美涼が訊ねてくる。

「ちょっと、お買い物をしてくるわね。すぐに戻ってくるから、おとなしく待ってるのよ」

スーパー「丸大《まるだい》」の駐輪場に自転車を停め、美涼に言い聞かせると小走りで店内に駆け込んだ。

一番安い三個入りで百六十九円の玉葱の袋を買い物籠に放り込み、レジへ向かおうとした足を止めた。

野菜のコーナーの向かい側の調味料や缶詰類の並んでいる陳列棚の前に、顔見知りの女性がいた。芳江だった。

カートに載った買い物籠の中には、ミネラルウォーターのペットボトルや千数百円はする輸入物のジュース、ほかにはシリアルやフランスパンが詰め込まれていた。

現実的には必要のない物ばかりを買い込んでまで、見栄を張りたいのだろうか？

私は、自分の籠の中の特価の玉葱の袋に視線を落とし、二、三歩後退《あとずさ》った。

別の通路を通ってレジに行こうと踵《きびす》を返しかけた私の視界が、信じられない光景を捉えた。彼女が手にしたアスパラガスの瓶詰は、カートに載った買い物籠ではなく、腕にかけられた紙袋の中へと消えた。

私は反射的に陳列棚の陰に隠れ、息を呑んで芳江の行動を見守った。周囲を気にするように首を巡らせる芳江の仕草が、ふたたびそのときがあることを教えてくれた。

心拍が上昇し、呼吸が乱れた。膝が震え、自分の鼓動が聞こえるくらいに高鳴った。何度も生唾を飲み下し、そのときを待った。芳江の右手が陳列棚に伸びかけたときに、カートに山盛りの野菜を載せた男性の店員が現れた。

弾かれたように手を引っ込め、商品を物色するふうを装う芳江。私は小さく息を吐き、陳列棚を掌で軽く叩いた。

店員は芳江の真後ろで、嫌味のようにゆっくりと白菜やらキャベツの補充を始めた。

私は祈るような思いで、芳江をみつめた。彼女が、場を離れる気配はなかった。

あの紙袋の中には万引きした商品が入っているというのに、芳江からは動揺した素振りは微塵《みじん》も感じられなかった。

確信した。芳江が初犯ではないということを。それにしても、解《げ》せなかった。

お金に困っているわけでもないのに、どうして彼女はあんなことをしたのだろうか？　スリルを愉しみたい歳でもないはず。あるいは……。

不意に、脳裏にある考えが閃《ひらめ》いた。

しかし、その考えを実行するには、いったん自宅に戻らなければならない。そうしている間に、芳江は帰ってしまうに違いない。

私は、一張羅のスーツの上着のポケットから取り出した携帯電話を恨めしい眼でみつめた。お受験ママ達の手前、いまどき携帯電話も持っていないとも言えず、三ヵ月ほど前に駅前の安売り店で購入したのだったが、カメラ付きの物は価格が高く、一台だけ残っていた旧式のタイプを選んだのだ。

まさか、こんな場面で、二、三千円を渋ったことを後悔するとは思わなかった。

「そうだ」

私は呟き、背後を振り返った。はたして、レジの前には使い切りカメラが売っていた。

顔を戻した。店員は、相変わらずのんびりと野菜の補充を続けていた。

店員がいる間は大丈夫。自分に言い聞かせ、踵を返した。

日付が入るのは一番安い、二十五枚撮りのものでも千七百八十円もする。躊躇《ちゅうちょ》している暇はなかった。千七百八十円の出費は痛いが、千載一遇の機会を逃すわけにはいかない。

玉葱の袋と使い切りカメラの入った籠を手に、空《す》いているレジを探した。

ふたり並んでいるレジと三人並んでいるレジのどちらにするかを迷ったが、籠の中身が少ない三人のほうにした。

焦燥感が募り、足踏みを繰り返した。いまこうしている間にも、芳江がいなくなってしまうかもしれない。

ふと、自分はなにをしているのだろう、という自己嫌悪の念に駆られた。芳江の万引き現場を写真におさめて、それからどうするのかなど決めてはいなかった。ただ、強迫観念にも似た衝動が、私を大胆な行為に走らせるのだった。

ようやく順番が回ってきたときには、既に五分が経っていた。会計を済ませ、アルミパッケージを破りつつさっきの通路に舞い戻った。

ちょうど、補充を終えた店員が野菜売り場を離れるところだった。

相変わらず芳江は、缶詰や瓶詰を手に取っては戻し、物色しているふうを装っていた。

陳列棚から顔だけ覗かせ、芳江の一挙手一投足に意識を集めた。

ふたたび店員が訪れることを警戒しているのか、はたまた、アスパラガスの瓶詰だけが目的だったのか、芳江が行動を起こす気配はなかった。

カメラを持つ掌がじっとりと汗ばんだ。周囲を人が通り過ぎるたびに、私は携帯電話を取り出しメールを打つふりをした。

　カメラを買って、さらに五分が過ぎた。駐輪場に停めた自転車の補助椅子で待たせている美涼が気になった。

　一度、様子をみに行ったほうがいいのかもしれない。踵を返しかけたそのとき、芳江の手が陳列棚へと伸びた。

　私は片手でカメラを構え、震える指先で立て続けにシャッターを切った。レンズ越しの芳江が手にしたオリーブオイルかなにかの小瓶が、籠を素通りして紙袋の中へ吸い込まれた。

「すみません、お客様」

　背後からの呼びかけに、躰が氷結したように強張った。恐る恐る、首を後ろに巡らせた。

「お忘れ物ですよ」

　さっきのレジの店員が、玉葱の入ったポリ袋を掲げて笑みを湛えていた。

　硬直した筋肉が弛緩してゆく。

「ありがとう」

　立ち去る店員の背中に、小さなため息を吐き出した。顔を通路に戻した。芳江の姿はなかった。

　私は急ぎ足で出口へ向かった。レジに、芳江が並んでいた。彼女が並ぶレジを大きく迂回し、外に出た。

駐輪場に向かう足取りは弾み、自然とハミングしていた。

「ママ、遅いよぉ」

補助椅子で身を捩じらせる美涼の声はくぐもり、半べそ顔になっていた。

「ごめんなさい。あれこれ迷ってたら、遅くなっちゃって。ほら、写真撮ってあげるから笑って」

ハイ、チーズ。カメラを構え、シャッターを切った。美涼は相変わらず機嫌を直してはくれなかったが、いら立つことはなかった。

「さあ、お家に帰ろうね。おいしいハンバーグを作ってあげるからね」

笑顔で娘の頭を撫でながら、サドルに跨《また》がった。

ペダルがこんなにも軽いものだと感じたのは、初めてのことだった。


いつもは苦痛に感じていた夫の鼾《いびき》を、今夜ほど待ち望んだことはなかった。

私は衣擦《きぬず》れの音に気を配りながら、腹這いの体勢で布団から上半身だけ出した。枕の下に忍ばせていた書類封筒を手にし、携帯電話の電源を入れた。

微光が、寝室を青白く染めた。液晶ディスプレイに浮かぶデジタル時計をみた。午前二時二十三分。

　息を止め、耳を澄ました。夫の鼾のリズムが変わらないのを確認し、封筒を逆さにした。五枚の写真と五通の横長封筒がカーペットの上に舞い落ちた。

　写真はいずれも同じもの……複数撮ったうちで、決定的瞬間をクリアに捉えたものを焼き増ししたのだった。

　そのうちの一枚を、指紋がつかないようにティッシュ越しに手に取った。

　写真の中の芳江をみていると、思わず口もとが綻《ほころ》んだ。

　不意に、夫の鼾が止んだ。慌てて携帯電話の電源を切り、枕に顔を押しつけた。敷き布団にひしゃげた乳房の裏側で、鼓動が高鳴った。

　ほどなくすると、夫の鼾が聞こえ始めた。

　口を半開きにした夫の寝顔を横目でみながら、ふたたび携帯電話の電源を入れた。

　手に持ったままの「芳江」を封筒に忍ばせた。同じ動作を五回繰り返し、私はそっと布団を抜け出した。

　音を立てないように寝室のドアを開け、廊下の明かりもつけずに液晶ディスプレイの光を頼りに茶の間に向かった。

　やはり電灯のスイッチには触れずに、夫が書斎机の代わりにしている応接テーブルの前に座り、パソコンの電源を入れた。

パソコンが立ち上がるまでの間、一度しまった写真を封筒から抜き出し液晶ディスプレイの前に翳した。

青白い光に染まる彼女の右手に握られた、オリーブオイルらしき小瓶が紙袋に半分だけおさまった決定的瞬間に、頬の筋肉が緩んだ。

あのあと、家に戻り昼食を作った私は、写真を現像するためにスーパーに財布を忘れたと偽り、美涼と聡の世話を夫に頼むとふたたび外出した。

私の向かった先は、新宿だった。DPEショップならば戸山にも高田馬場にもあったが、内容が内容なだけに地元は避けたかったのだ。

現像にかかる一時間の間、夫に電話を入れ、財布がみつからないので交番に紛失物の届けを出しに行くと嘘を重ねた。

いくら入ってたんだ。ただでさえ家計が苦しいのに。注意力がないからこういうことになるんだ。

受話口越しに聞こえる夫のため息と愚痴と文句に、私はいつになく明るく素直に詫びた。

なんだか、気味が悪いな。お前らしくないぞ。

怪訝《けげん》そうな夫の声が印象的だった。

思い詰めた顔をしていると辛気《しんき》臭いと注文をつけ、朗らかにしているとお前らしくないと訝しがる。

本当に、自分勝手な男だ。

嘘を吐いている疚《やま》しさだけが、私らしくない私になった理由ではなかった。

静寂な室内に、パソコンが立ち上がる際のメロディが鳴り響いた。私は弾かれたように腰を上げ、廊下に誰もいないことを確認するとパソコンの前に戻り、五人の住所と氏名を打ち込んだ。

その五人の中には、十和子と芳江の名前はなかった。

用紙をセットし、プリンタの電源を入れた。カーソルで印刷の欄を指し、マウスをクリックした。

用紙に印字されるプリンタの機械音が、鼓膜を心地好く愛撫する。

ローズ・フェアリーでの「お茶会」と児童公園での「砂場の集い」を、胸を高鳴らせ待ち望む日が訪れるなど夢にも思わなかった。

7

「いよいよ、一次試験まで一ヵ月ね。なんだか、いまから緊張しちゃって心臓が飛び出しそうだわ」

注文の品を運び終わったウエイターが離れると、私の正面の席で芳江が胸に手を当て大袈裟な顔で言った。

十月六日。水曜日。いつもと同じ時間に、いつもと同じ喫茶店で、いつもと同じメンバーがいつもと同じテーブルに寄り集まっていた。

「そうね。私も、毎朝カレンダーをみるたびに胃に穴が開きそうよ」

いつもと違うのは、十和子以外の三人……真理子、順子、恵美の三人になんのリアクションもないということだった。

十和子にたいしてほどではなくても、ナンバー2的な位置にいる芳江がなにか発言すれば、誰かひとりくらいは合いの手を入れていたものだ。

私は、スーパー「丸大」での決定的瞬間を捉えた写真が入った五通の封筒を、月曜日に三《み》鷹のポストに投函した。

三鷹を選んだのに意味はなく、浅草でも渋谷でも、ようするに戸山から距離のある地域ならばどこでもよかった。

封筒が昨日のうちに到着しているだろうことは……彼女達が写真を眼にしただろうことは、三人のよそよそしい態度が証明していた。

しかし、芳江はまだそのことに気づいておらず、一次試験で合否を決める抽選器の回しかたについて、得意げな表情でレクチャーしていた。

その間、恵美は俯きカプチーノを啜り、真理子はファッション雑誌に眼を落とし、順子は細く折れそうな手首に巻かれたブルガリのブレスレットをいじっていた。

私は、メモ用紙を取り出し、芳江が語る「白玉を出すコツ」について、一言一句聞き逃さずに書き留めた。

怪しまれないための演技ではなかった。毎日のように「お茶会」や「砂場の集い」に参加して不得手な人づき合いをしているのも、すべてはお受験に有利に働く情報を得るためだった。

「今日はどうしたの？　なんだか、元気がないわね」

三人の異変を察知したのは、芳江ではなく十和子だった。

「そうですか？　みなさん、ちょっとお疲れ気味なんですよ、きっと。ねえ？」

恵美が、順子と真理子に同意を求める。十和子が写真のことを知らないと瞬時に察知し、平然とした顔で受け答えるあたりは、なかなかしたたかな女だ。

ふたりが、慌てて繕った笑顔で頷くのをみて、差出人不明の封筒について彼女達の間で情報交換が行われているだろうことを悟った。

「恵美ちゃん達と違って、のぶ子さんはバイタリティに溢れているのね。でも、お受験に関する話題にかぎって積極的になるんじゃなくて、ほかの会話のときにも参加してほしいわ。殿方の話のときまで、メモを取る必要はないけど」

芳江が、皮肉たっぷりに言うと高らかに笑った。

「私は、そんなつもりじゃ……」

「個人攻撃は、よくないと思うわ」

私の言葉を遮った順子が、スプーンでミルクティーを掻き回しながら遠慮がちに言った。

瞬間、店内の空気がピンと張り詰めた。

私にたいする予想外の擁護と自分にたいする非難に、芳江が驚きを隠せない顔を順子に向けた。

十和子も、エスプレッソのカップを口もとに運ぶ手を止め、微かに眼を見開いていた。

「人聞きの悪いこと言わないでよ。私がいつ、個人攻撃なんてしたのよ!?」

我を取り戻した芳江が、眼を剝《む》き唇をわななかせた。

「順子の言うとおりだわ。芳江は、いつものぶ子さんにつらくあたり過ぎよ」

ファッション雑誌を捲る手を止めた真理子が、順子を援護する。

今日は、彼女の腕や指先で嫌味なまでに光る宝飾品も、絹の光沢を放つ髪の毛も癪《しゃく》に障ることはなかった。

「私も、そう思います。お受験に熱心になるのは、聖星を目指す母親なら当然のことだし、そんなふうに言ったら、のぶ子さんがかわいそうです」

弱きを挫き強きに諂《へつら》う恵美までもが、自分の日頃の言動を棚に上げて芳江に牙を剝く。

「ちょ、ちょっと、みんなしてなによっ。私の言葉が個人攻撃になるのなら、あなた達だって同じじゃない。私ばかり、悪者にしないでよっ」

三人の思わぬ謀反に、芳江は、アイスティーのグラスを持つ手同様に小刻みに震える声で訴えた。

「芳江がのぶ子に言ったことが個人攻撃かどうかはさておいて、あなた達、今日は変よ。なにかあったの?」

十和子の問いかけに、それまでの勇猛さが嘘のように三人が眼を伏せた。

「芳江の言いかたにも問題はあるけど、のぶ子に、仲間に入ってほしかっただけよ。ほら、のぶ子も人見知りをするほうじゃない？　私は彼女を昔から知ってるけど、自分から人の輪に入ってくるタイプじゃないから。芳江もきついところがあるから、誤解されるようなことを言ってしまうのよ。そうでしょ？」

十和子に同意を求められた芳江が、釈然としない表情ながらも頷いた。

恵美も真理子も順子も、不満げな顔をしているものの、誰ひとりとして言い返すことをしない。

私の掌の中で、カップとソーサがカチャカチャと音を立て、コーヒーが波打った。

景色が早送りのビデオフィルムのように視界の端を猛スピードで流れてゆく。

一心不乱にペダルを踏む私は、きっと鬼のような形相になっていることだろう。

荷台の聡も補助椅子の美涼も、私のただならぬ雰囲気を察してか珍しく黙りこくっていた。

ローズ・フェアリーを出たあと、翼幼稚園に聡を、そこから徒歩数分の恵美の実家がやっている託児所に預けていた美涼を迎えに行った私は、その間中、子供達とひと言も口を利いていなかった。

十和子の発言後、話題が芳江への非難から他愛もない大学時代の昔話に移ったことも、私の気分を害したひとつの要因に違いはなかった。

だが、それは、恵美の実家での十和子とのやり取りに比べれば、些細《ささい》なことだった。

――ちょっと、いいかしら。

美涼を連れ帰ろうとしたときに、十和子に呼び止められた私は、ふたりの子供を残し彼女のあとに続いて建物を出た。

――のぶ子、あなた、日宮ピアノ学院に美涼ちゃんを通わせるんですって？

外に出るなり、十和子が微笑みを湛えながら訊ねてきた。だが、彼女の眼は笑っていなかった。

――ええ……そうなの。

硬い微笑みを返す私の頭の中に、若作りした学院長の顔が浮かんだ。

――あなた、公園の砂場で私がこずえをピアノ教室に通わせているのを聞いて、美涼ちゃんも同じところで習わせようと思ったんじゃないの？

――そんな……。たしかに、あの砂場でこずえちゃんがピアノを習っている話は聞いたけど、第一、どこの教室かなんて知らないし、誤解だわっ。

心を見透かされ、私は思わず語気を荒らげた。

――だったら、どうして急に美涼ちゃんをピアノ教室に通わせようなんて思ったの？　しかも、わざわざ中野の教室なんかに。

――前から、美涼にはなにか音楽を習わせたいと思っていたのよ。中野の教室を選んだのは、専門学校時代の友人が住んでて、彼女が勧めてくれたの。

いつか訊ねられたときのために用意していたセリフを、私はしどろもどろにならぬように口にした。

——のぶ子に、そんな親しい友人なんていたの？ それに、日宮ピアノ学院は月謝が高くて有名なところなのよ。こんなこと言ったらなんだけど、あなたのとこ、そんな余裕はないでしょう？

十和子のひと言ひと言は、まるで切っ先鋭い錐《きり》のように私の心を滅多突きにした。

——私だって、気が置けない友人のひとりくらいいるわ。ピアノ教室に通うくらいのお金だって払えるわよっ。

三十三年の歳月の大部分をともにした旧友が初めて上げた怒声にしばしの間呆気に取られていた十和子が、厳しいいろを宿した瞳で私の双眼を射貫《いぬ》くようにみつめた。

——じゃあ、北林こずえの名前の入った楽譜を拾ったという主婦からの電話は、どう説明するつもり？

その瞬間、頭に昇っていた血液が、一気に足もとに下降した。私は、お喋りな学院長を呪った。

——なんの話？　あなたの言っている意味がわからないわ。

私は、散り散りになった平常心を掻き集め、必死に平静を装った。

救いは、北林こずえの在籍を訊ねていた主婦とは別人の顔をして申し込みに行ったことだった。

——そう。あなたが認めたくないのなら、そのことはもういいわ。のぶ子。あなたを問い詰めようと思ってこんな話をしているんじゃないから、勘違いしないで。私はね、その主婦があなたかどうかなんてどっちでもいいの。ただ、こずえと一緒のピアノ教室に通いたかったのなら、どうして、私にひと言訊いてくれなかったのか……それが悔しくてしようがないのよ。

十和子が、それまでとは打って変わった哀しげな表情で言った。

——だから、私は……。

——芳江のことも同じよ。ローズ・フェアリーでも言ったけど、たしかに彼女の物言いには棘があるし、悪意を感じるときもある。でもね、芳江をああさせているのには、のぶ子にも責任の一端はあるのよ。昔から、あなたはクラスメイトとの間に壁を作っていた。人を寄せつけずに、自分の殻に閉じ籠っていた。孤独でいることを非難する気はないわ。だけど、お受験はひとりじゃ戦えないの。その日に備えて仲間同士で情報交換をして、一パーセントでも合格率を高めたい。それが、本心でしょう？　合格率を高めるには、ひとりでもライバルがいないほうが有利なのは、あなたにもわかるわよね。なのに、どうして、敵に塩を送るようなことをすると思う？　それは、少なくとも私達は敵じゃなくて仲間だからでしょう？　なのに、普段は心を開かなくて、お受験の情報のときだけ人が変わったように積極的になったら、芳江じゃなくても嫌味のひとつでも言いたくなるわよ。いい？　これは、のぶ子を責めているんじゃないの。あなたのためなのよ。

あなたのためなのよ。

私が美涼に口癖のように言い聞かせているのと同じ言葉が、頭の中で執拗に繰り返し鳴り響いた。

「ママ、はやくて怖いよ」

美涼が、強張った顔で振り返った。

――あなたのためなのよ。


「うるさいっ」

十和子に叫んだ。

美涼が、びっくりしたように眼を閉じ、慌てて前を向く。

ごめんね。あなたに言ったんじゃないのよ。

娘にたいして、たったそれだけの声をかける精神的余裕さえ、いまの私にはなかった。

このあと、家に帰り聡と美涼に昼食を作ったら、二時から授業が始まる若葉英才会に行かなければならない。

十和子と顔を合わせるのが、ひどく憂鬱だった。もしかしたなら、来週からレッスンが始まる日宮ピアノ学院でも、こずえと同じコースかもしれないのだ。

都営住宅の敷地に続く緩やかな傾斜が目の前に現れる。私はサドルの上で腰を浮かせ、煩い事を振り払うようにペダルを踏み込んだ。

坂を上りきり、三号棟の建物が視界に入った瞬間……私はブレーキをかけた。

階段の上り口に佇んでいたひとりの女性が、私を認めてゆっくりと歩み寄ってくる。

「あ、芳江おばさんだ」

荷台から、聡が手を振った。

「のぶ子さん。ちょっと、話があるの」

聡のほうを見向きもせずに、芳江が硬い表情で言った。

「ふたりとも、先にお部屋に戻ってなさい。ママもすぐに行くから」

私は小さく頷き、聡と美涼を自転車から降ろすと、芳江を促すように敷地の出口へ歩を進めた。

8

園内を囲むケヤキの枝葉の隙間から覗く青空、滑り台で遊ぶ子供達、風に吹かれて足もとで舞う落ち葉。

「砂場の集い」でのいやな印象しかない児童公園だが、いまは、なにもかもが心地好く感じられた。

お受験ママ達がいつも寄り集まり自慢合戦をしているベンチで、私と芳江は互いにひと言も発さずに並び座っていた。

都営住宅の三号棟の前で声をかけてきたときと同様に、相変わらず芳江は硬い表情で正面をみつめていた。

「話って、なに？」

白々しく、私は切り出した。

本当は、呼び出された理由も、彼女が暗鬱な顔をしている理由もわかっていながら。

芳江は問いかけが聞こえないとでもいうように、唇を引き結び、ずっと押し黙っていた。

不意に、不安が込み上げてくる。

もしかして彼女は、スーパー「丸大」に私がいたことに……カメラを手にしていたことに気づいていたのではないだろうか？

いや、それはありえない。気づいていれば、午前中の「お茶会」で平静を装ってはいられなかったはずだ。

では、恵美、真理子、順子の三人のうちの誰かが、差出人不明の封筒を送った主が、私だと気づいたのだろうか？

それも、考えられない。

差出人云々の話をするには、先に万引き写真の一件を話さなければならず、「お茶会」からこんなに短時間で芳江が私より先に都営住宅に到着しているのはおかしい。

ならば、いったい、彼女はなぜ、私を呼び出したりしたのだろうか？

「のぶ子さん」

顔を正面に向けたまま、芳江がようやく口を開いた。

「なに？」

「あなた、なにか話を聞いてない？」

「なにかって、なにを？」

私は、芳江がどこまで知っているのか、またはなにも知らないのかを探るように芳江の質問に質問で返した。

「なにって……その、つまり、順子達のことよ。なんだか、いつもと様子が違ってなかった？」

芳江は、まだ、写真の件を知らないようだった。自分の意見に仲間が賛同してくれず、それどころか、歯向かってきたことが納得できず、不安になっているだけなのだ。

私に言わせれば、甘ったれているにもほどがある。たった一日の、しかも「お茶会」での一時間かそこら友人につらく当たられたからといって納得できないというのなら、納得できないことだらけの人生を送ってきた私はどうなる？

芳江から移した視線を園内に巡らせた。

さっきまで清々《すがすが》しく心地好かった景色と風が、急に不快なものに感じられた。


——のぶ子。

狭山《さやま》女学院の正門を出た私は、足を止め、振り返った。声の主は、葉子《ようこ》だった。副委員長をやっている葉子は、クラス一のお節介者で私が苦手にしているうちのひとりだった。

葉子のほかには、京子、八重《やえ》、奈々子《ななこ》がいた。彼女達四人は政治でたとえれば与党のようなものであり、クラスでの発言力が強かった。

といって、強権発言で抑えつける、という感じではなく、クラスで催し物があれば積極的に煩い事を引き受け、揉め事が起これば仲裁に入り、といった具合に、どちらかと言えば頼れるお姉さんタイプとしてみなから慕われていた。

因みに、委員長の十和子は別のグループと行動をともにしていた。

ふたつのグループが対立関係にあったわけでなく、むしろその逆で、クラスの意見が割れたときに葉子は必ず十和子に伺いを立てた。

つまり、葉子がクラスの雇われ社長ならば、十和子はオーナーといった立場にいた。

——これ、のぶ子のでしょう？

葉子の手には、学生証が握られていた。四、五日前から学生証が見当たらず、事務局に届けようかどうかを迷っていたのだった。

——ありがとう。

――この学生証、どこにあったかわかる？

棘を含んだ声で訊ねる葉子に、私は首を傾《かし》げた。

――豊島第一病院の総合受付カウンターに置き忘れてあったんだって。のぶ子、あなた、病院になにしに行ったわけ？

そのとき私は、葉子達がなぜ剣呑な雰囲気を漂わせているかの理由を知った。

一週間前に、南雲《なぐも》という副担任の男性教諭が交通事故にあい右足首の粉砕骨折で入院していた。

副担任の入院というビッグイベントに、葉子達が黙っているわけがなかった。

担任教諭に貰ったホームルームの時間に、葉子が議長となり、クラス全員で南雲への見舞いをどうするかを話し合うことになった。

南雲は大学を卒業したばかりの新任教諭で、年齢も近く顔立ちも整っており、男子のいない女子校の生徒に絶大な人気を誇っていた。

私も、南雲には好感を持っていた。

というのも、彼は、勉強ができて学校行事にも積極的に参加する十和子や葉子を贔屓《ひいき》しがちなほかの教諭達と違って、誰にたいしても分け隔てなく接していたからだ。

――吉田さんは、努力家だね。

ある日の放課後、小テストでどうしても解けなかった問題をひとり教室に残り復習していた私の前に微笑みながら現れた南雲は、わかりやすくポイントを解説してくれた。

南雲が交通事故にあったと聞いて、私は心配で居ても立ってもいられなくなった。

見舞いに行くということには賛成だったが、クラスで、ということが引っかかった。

いや、クラスでも、全員であればいいのだが、病室にそんな多人数で押しかけるわけにはいかず、結局は、みなから寄せ書きや千羽鶴を集めて代表者が二、三人で見舞いに行くという形になるのは目にみえていた。

そして、その代表者が十和子や葉子のグループから選出されるだろうことも。

私の懸念したとおり、その週の日曜日に、十和子、葉子、京子の三人がクラスを代表して南雲の入院する豊島第一病院に見舞いに行くことがホームルームで決まった。

もし南雲がホームルームの場にいたならば、こんな判で押したようなメンバーではなく、私を選んだかもしれない。

彼は、そういう公平な人間だった。

私は、彼女達より先に、ケーキを買って豊島第一病院を訪れた。

それは、十七年の人生の中で、私が初めて取った積極的かつ大胆な行動だった。


——いや、まさか、吉田さんがきてくれるとは思わなかったよ。


南雲の笑顔をみただけで、私の気持ちは救われた。

心のどこかで、十和子や葉子に後ろめたい気持ちがあったのだ。

南雲には、抜け駆けをしたと思われたくないから、このことを黙っていてほしいと頼んだ。

彼は、クラスで私の置かれている立場をわかってくれ、快く頷いてくれた。

なのに、病院に学生証を忘れるなど、なんて馬鹿なことをしてしまったのだろう。


——南雲先生のお見舞いじゃないの？

激しく後悔する私を、京子が咎《とが》めるように問い詰めてきた。

──言えないところをみると、やっぱり、そうなんだ。

──黙ってないで、なんとか言いなさいよ。

羞恥《しゅうち》と動揺に言葉を返せずにいるところに、八重と奈々子が追い討ちをかけてくる。

──あなたって、そんなおとなしい顔して、ひどいことをするのね。みんながホームルームで南雲先生のお見舞いをどうしようかって話していたのを知ってるくせに、よくそんなことができるわね。驚いたわ。のぶ子が、そんなに大胆だったなんて。

葉子が、クラスメイトの前でみせている溌剌《はつらつ》とした顔からは想像のつかない陰険な表情で言った。

みなに黙って南雲の見舞いに行ったのは、あまり褒められたことでないのはわかる。しかし、彼女達に、まるで罪人のように言われる筋合いはない。

――で、南雲先生になにを持って行ったの？

京子が、敵愾心《てきがい》に満ちた眼で私を睨めつけながら訊ねた。

そんな眼で睨みつけられる覚えはないし、下校途中の生徒達の好奇の視線にさらされながら、責め立てられる理由もなかった。

私が、なにをしたというの？　慕っている先生の見舞いに行くことが、そんなに罪だというの？

心では雄弁に抗議していた私も、口に出すことはしなかった。

どうせ、なにを言っても無駄だとわかっていたからだ。


――急に、口が利けなくなったわけ？

――だいたいさ、のぶ子って卑怯《ひきよう》よ。

――ひとりだけいいコぶって、先生となに話したのよ？

――そうやってだんまりを決め込んでいるけど、頭の中ではなにを考えてるんだか。

四人が、競い合うように責め立ててきた。私は、うなだれ、貝のように口を閉じた。眼の奥が熱くなり、涙が溢れそうになった。

もちろん、自分の行動を反省したわけではない。言いがかりにたいして、ただ黙ってやり過ごすことしかできない自分自身が、情けなく、悔しく、泣きたくなったのだ。

——ちょっと、みんな、こんなところでなにやってるの？

声の主は、十和子だった。

彼女が現れたとたんに、葉子達四人の顔に動揺のいろが走ったのを私は見逃さなかった。

——十和ちゃん、聞いてよ。のぶ子がね……。

親を味方に引き込もうとする子供のように、葉子がそれまでの棘々しい態度とは一変した弱々しく哀しげな口調で、私がいかにひどい裏切りを犯したか、みながどれだけ傷ついたのかを訴えた。

——話はわかったけど、だからって、校門の前で吊し上げるようなことをしなくてもいいでしょう?

——吊し上げるとか、別に私達はそんなつもりじゃ……。

——とにかく、のぶ子を連れて行くわよ。

とりあえず私は、十和子について行くことにした。

助かった、という気はしなかった。また、助けてほしいと頼んだわけでもない。

ただ、これ以上、さらし者になるよりはましだと思っただけの話だ。

——のぶ子。南雲先生の病院へ見舞いに行ったって、本当なの?

葉子達と別れて四、五十メートルほど歩いたところで、十和子が探るような眼を向けてきた。

——うん。でも、みなを出し抜いてやろうとか、そんな気持ちはなかったの。

——そういうことが問題じゃないのよ。葉子達が言いたかったのは、のぶ子が南雲先生の見舞いに行った行かないじゃなくて、ひとりで内緒で、っていうことでしょう? どうして、ホームルームの時間にそうしようと思っていることをみなに話さないの？
それを話せば、あなた達がしゃしゃり出てくるじゃない。
私は、喉もとまで出かかった言葉を呑み込んだ。

——たしかに、さっきの葉子達は言い過ぎだと思う。でもね、庇うわけじゃないけど、彼女達、本当に一生懸命にクラスの代表として南雲先生をどうやって励まそうかと頑張っていたのよ。のぶ子がやったことは、お父さんの誕生日に兄弟でなにかプレゼントしようと話していたのに、先にひとりだけ別の物をあげたのと同じことなのよ。言ってること、わかるよね？

わかるわ。兄弟が一緒にプレゼントをあげるなら。
私は学生靴の爪先《つまさき》をみつめながら、心で呟いた。

——私は、のぶ子にクラスのみんなとうまくやってほしいの。小学校の頃から、いつもそうだったじゃない。そうやって黙りこくって、ひとりで殻に閉じ籠って。幼馴染みの私にくらい、心を開いてくれてもいいんじゃない？　ねえ、聞いてるの？


「のぶ子さん。聞いてるの？」

十六年前の十和子の声に、芳江の声が重なった。

膝の上で重ねていた手の甲の皮膚が、自分の爪に抉られ薄く血が滲んでいた。

「あ、ああ、ごめんなさい。聞いてたわ。順子さん達のことね」

私は言いながら、傷ついた手の甲をそっと太腿の下に滑り込ませた。

「やっぱり、なにか知ってるのね？」

どうやら芳江は、私の不自然な態度の理由を勘違いしているようだ。都合がいいので、勘違いさせたままでいることにした。

「そのことと関係があるかどうかはわからないけど、じつは、あなたに関することで、おかしな物が届いたの」

私は、深刻な顔で切り出した。

「私に関することで、おかしな物？」

芳江が不安げな表情で鸚鵡《おうむ》返しに訊ねた。

「昨日、差出人不明の封筒が届いて、その中に……やっぱり、やめとくわ。ごめんなさい。

私、塾に行く用意をしないと」

　腰を上げかけた私の腕を、芳江の手が摑んだ。

「なによ、水臭いわね。そこまで話したんだから、言ってよ」

　懸命に笑みを拵えてはいるが、芳江の眼の下の皮膚はヒクヒクと痙攣《けいれん》していた。

　私は深いため息を吐いてみせ、ベンチに腰を戻した。

「わかったわ。これが、入ってたの」

　そして、渋々といったふうに言うと、バッグの中から取り出した写真を芳江に手渡した。

　写真を眼にした芳江が、表情と声を失った。

「今日、本当はあなたにみせようと思って持ってきたんだけど、なかなか切り出せなくて……ごめんなさい」

　私は、神妙な顔つきで言った。

　白っぽく変色した唇と写真を持つ手を小刻みに震わせる芳江の耳には、私の言葉は入っていないに違いない。

「いったい、誰が……」

「私も、封筒を開けてびっくりしちゃって。なぜ、こんなことを？」

　芳江のすっかり血の気を失った横顔を窺いつつ、私は遠慮がちに訊ねた。

「違うのっ。これは、間違って紙袋に入れちゃっただけよ。このあと、すぐに戻したわ。本当よ、信じてっ」

芳江が、逼迫《ひっぱく》した声音で訴えた。

「そうだったの。でも、これをみた人達が、芳江さんの言うことを信じるかどうか……」

「順子達も……この写真を？」

「さあ、それはわからないわ。だけど、今日のローズ・フェアリーでの様子をみていると、もしかしたら、そうなのかもしれない」

「誰がこんな卑劣なことをっ」

芳江が眼を剝き、唾《つば》を飛ばさんばかりの勢いで言った。

万引きをしておきながら、なんて厚顔な女なのだろうか？

知らないとはいえ、私を卑劣扱いするとは図々しい女だ。

「それに、写真を撮った誰かが、悪意のある噂を広げたりしたら、厄介なことになるわね」

「悪意のある噂って……？」

芳江が、怖々と訊ねた。

「真実とは違うふうに伝えること……つまり、あなたが万引きしたという噂を流すかもしれないってことよ」

いかにも芳江側に立っているふうを装い、私は深刻な表情を作ってみせた。

「そんな……いまが大事な時期なのは、あなたもわかるでしょう？　こんなデマが聖星の関係者の耳に入ったら……。のぶ子さん、私、どうしたらいいの？」

「芳江さん、落ち着いて。私がなんとかするから」

緩みそうになる頬を引き締め、芳江の肩に手を置いた。

「なんとかって？」

縋るような瞳。あの憎らしい女が、私の一言一句を心待ちにしていることに優越感が刺激された。

「順子さん達には、私のほうからそれとなく探りを入れてみるわ。とにかく、あなたはなにもしないで」

「わかったわ」

力なく頷く芳江と対照的に、私は大きく顎を引いた。

9

二十畳ほどのカーペット貼りのスペースで思い思いに遊ぶ十数人の児童を、室内の後方に横一列に並べられた椅子に座ったお受験ママ達が心配そうに見守っている。

この若葉英才会では、教室に一歩足を踏み入れた瞬間に、授業が終わるまで子供のところへ行ってはならないという決まり事があった。

美涼は、室内の右端で、ひとりクレヨンを使って絵を描いていた。

私は、さっきからずっと、椅子から腰を浮かし気味にし、娘が振り返るのをいらいらしながら待っていた。

あれほど教室に入る前に、真ん中に座り、ほかの子供達と遊ぶように言い聞かせていたのに……。

私が美涼に座るように言っていた中央には、こずえ、弘、園美の三人が仲良く寄り添い積み木遊びをしている。

三人の母親……十和子、芳江、ゆり子も子供達と同じように談笑していた。

私は、釈然としなかった。

芳江は懸命にふたりに話を合わせているといった感じで、十和子はあの写真のことを知らないからいいとして、問題は、ゆり子だった。

写真は届いているはずなのに、芳江に笑いかけ、ときに冗談を飛ばすその姿は、ローズ・フェアリー組とは大違いだった。

「いい？　千賀子。ほかの子のおもちゃを取ったり、走り回ったりしてはだめよ。それから、先生がいらっしゃったら、大きな声でご挨拶するの。わかった？」

教室の出入り口の廊下で、田辺静子が腰を屈めて娘に念を押していた。

静子だけではなく、三、四人の母親達が彼女と同様に大事な「宝物」に注意事項や禁止事項を繰り返し説いていたが、その顔は真剣そのものだった。

それも、無理はなかった。

若葉英才会の教師である鳴迫昌子《なるさこまさこ》は聖星の園長と昵懇《じっこん》の仲であり、ここでの授業内容が内申という形で伝わり二次試験の合否に大きく影響するという噂があるのだった。

それはあくまでも噂に過ぎなかったが、毎年、若葉英才会に通っていた児童の中から合格者が多く出ていることを考えると、あながち、根も葉もないでたらめとは言い切れなかった。

だから、お受験ママ達は、中元と歳暮はもちろんのこと、鳴迫の家族の誕生日を調べてプレゼントを贈る者もいる。

家族の誕生日というのがポイントであり、鳴迫自らに高価な贈り物をするのはあからさまだというのが理由らしい。

私も、今年の夏に主人の眼を盗んでこつこつと貯めたへそくりの中から、松阪牛を贈っていた。

ただ高価な物を贈れば済むというものではなく、食品関係なら日本橋の「三越」、衣類関係なら新宿の「伊勢丹」、という具合に、物によってそれぞれ事細かに買うべき場所が決まっているのだ。

そして、お受験ママ達にとって、誰が誰になにを贈ったかということは最大の関心事になる。

よそよりも千円でも高く見栄えのする品を贈ろうと、みな、躍起になって情報を集め、中には、ライバル達の夏の中元リスト、冬の歳暮リストを作成する兵《つわもの》もいる。

——宝田さんは三万円のずわい蟹《がに》を贈ったんですってよ。

——嘘でしょう？　あの人、私には一万円のずわい蟹の缶詰にしたって言ってたわよ。

——そうそう、北林さんはなににしたのかしら？

――「三越」の食品売り場に勤めている富田さんの妹さんが贈答品のフロアの人から聞いたらしいんだけど、彼女、松阪牛にしたみたいよ。

――富田さん、そんなルートを持ってるの？　羨《うらや》ましいわ。じゃあ、飛鳥さんのリストもあるのかしら？

――ところで、あなたはなににしたの？

――ウチは、今年は地味に五千円の紀州梅の詰め合わせにしたわ。

毎年、中元、歳暮のシーズンになると、顔を合わせれば人の噂と互いの腹の探り合いになる。

周囲の情報は品名から円単位まで正確に知りたがるくせに、自分の情報に関しては、紀州梅の詰め合わせを贈ったという彼女のように割り引いて伝え、じっさいは数倍の値の品を贈るというのがお受験ママ達の特徴だった。

通常のシーズンで二万円、十一月の受験前の中元になれば三万円が相場だと言われているのに、五千円の品など贈るわけがなかった。

そんな見え透いた嘘を吐くのも、少しでも競合相手を油断させたい一心からだ。

お受験ママ達の辞書に、呉越同舟の文字はない。倍率が三十倍近い難関を突破するために、ひとりでも多くの者を船から突き落としたいというのが、彼女達の本音である。

今年の夏も、例に漏れずにそこここで情報戦が繰り広げられ、十和子が若葉英才会に贈った中元の品を耳にした私は、すぐに日本橋に走ったのだった。

「あら、遅かったわね」

十和子が、静子を笑顔で出迎えた。当然のように、美涼には眼もくれずにこずえ達のほうへ向かう千賀子をみて、胃の裏側が熱を持った。

「ちょっと聞いてよ。大変だったんだから」

静子が私と芳江の間に座るなり、声を潜めて言った。

「なになに、どうしたんですか？」

ゆり子が瞳を輝かせ、身を乗り出した。

彼女は、「砂場の集い」のときの露出度の高い服装とは打って変わった、ベージュの上品なスーツを着ていた。

ゆり子だけではなく、母親達はみな、ブランド物で身を固めている。手にしたバッグも、エルメス、ヴィトン、グッチと高価なものばかりで、ジーンズとセーター姿でナイロン製の安物バッグを提げている私の存在はひと際浮いていた。

「出かけようとしたときに、エントランスで真知子さんと奈美ちゃんに会ったのよ。ほら、私、彼女と同じマンションじゃない？　そしたら奈美ちゃん、ひどい咳をしてて、もう、聞いてるこっちが苦しくなるくらいの咳なの」

「まあ、やだ」

ゆり子と芳江が露骨に顔をしかめた。

「でしょう？　それで私、うつるといやだからいったん部屋に戻って千賀子と一緒にうがいをして、真知子さんがいなくなってからエントランス中に除菌スプレーを撒《ま》いて……そんなこんなで、遅れちゃったってわけ」

「この大事な時期に風邪を引かせるなんて、真知子さんらしくないですね。でも、心配だわ。奈美ちゃん、大丈夫なのかしら」

奈美を気遣う素振りをみせながらも、ゆり子の声は心なしか弾んでいた。

ほんと。はやくよくなってほしいわ。物憂い表情で呟く十和子の瞳も輝いている。

真知子の家は、八歳になる長女と六歳の長男が五年前と三年前にそれぞれ聖星に合格し、本人自らもOBであり夫は私立慶葉《けいよう》幼稚舎出身という、まさに絵に描いたような名門一家だった。

――真知子さんのお子さんの抽選のときに、順番が二回とも、後ろから十番目以内だったらしいのよ。ほら、白玉は軽くて最後まで残るっていうじゃない？　聖星サイドの人間が、過去の統計を調べて極秘に教えているんじゃないかって話を聞いたことがあるわ。

――長女の初美ちゃんの二次試験のときに、急に面接官の具合が悪くなって交替したんですって。どうして、彼女のときだけ具合が悪くなったんでしょうね？

――聖星の理事長の息子さんの結婚式に、真知子さんとご主人が招待されたらしいわ。

――彼女の旦那さんと聖星の事務の女性が、渋谷のホテル街を歩いていたのをみた人がいるのよ。


お受験ママ達の間で囁かれていた真知子に関しての噂は、信憑性《しんぴょう》のあるものからとても鵜《う》呑《の》みにできないものまで様々だった。

この世界では、羨望度の高さと悪評の数が比例する。聖星にひとり合格させるだけでも夢のまた夢であるのに、それがふたりも三人もとなれば、極悪人の扱いをされてしまう。

「のぶ子。あなたも気をつけなさい」

不意に、十和子が私に真剣な顔を向けた。即座に反応したゆり子と静子の好奇の視線が注がれる。

「いまはまだいいけど、あと一、二ヵ月もすれば風も冷たくなるし、自転車はつらいわよ。とくに、美涼ちゃんは風を受けやすい補助椅子に座らせているんでしょう？　それじゃあ、風邪を引いてくださいって言っているようなものよ。子供をベストコンディションで受験させるのは、親の役目よ。情報を集めるのも大事だけど、体調を崩したら元も子もないんだからね」

「わかってるわ」

私は、あたりを気にしながら、腹話術師のように唇を動かさずにはや口で言った。

「ならいいけど。いまのうちに、コートでも買っておいたほうがいいんじゃない？　あなた、レインコートしか持ってなかったでしょう？」

心臓に針を刺し込まれたような衝撃に襲われた。

ゆり子が噴き出し、静子が笑いを堪《こら》える。いつもは率先して傷口を広げる役目を買って出る芳江だけは、俯き、話が聞こえないふりをしている。

やはり、十和子は、日宮ピアノ学院の一件を根に持っているのだ。

「そうね」

微笑んだつもりだったが、頰の筋肉が引きつったようになってしまった。

「私も園美も寒がりで、十月の終わりくらいになると車の中で暖房を強くしちゃうの。のぶ子さんや美涼ちゃんは丈夫で羨ましいわ」

ゆり子の言葉に、今度は静子が噴き出した。

五臓六腑が、沸き立つお湯のように熱くなった。

「ちょっと、おトイレへ」

私は言いながら椅子から立ち上がり、逃げるように教室を出た。

ドアに背を預け、潤む視線を天井に向ける。きつく歯を食いしばり、涙を堪えた。

頭の中で、モスグリーンの制服を纏う美涼の姿を思い浮かべた。美涼の横には、羨望と嫉妬の眼差しを向けてくる母親達の間を悠然と歩く私がいた。

もう少しの辛抱だ。あと一ヵ月もすれば、この地獄ともさよならできる。三十三年間引き摺ってきた呪縛から解放される。

そのためなら、どんな困難でも乗り越えてみせると誓った。


「代わりばんこで遊ぼうよ。はい、健《けん》ちゃん」

弘が、ゴムボールを隣の男の子に渡した。

「はーい、よくできました。弘ちゃん偉いわねえ」

鳴迫が、満面の笑みを湛えながら手を叩いた。

ずっと浮かない表情をしていた芳江も、このときばかりは嬉しそうに相好《そうごう》を崩した。

弘が褒められるのをみて、残り三人の母親達は、ある者は般若の如き顔で我が子を睨みつけ、ある者は目尻を吊り上げ歯ぎしりをし、ある者は放心状態で立ち尽くし、あたかも本番の受験で落ちたような反応をみせていたが、私は、大袈裟だとは思わなかった。

若葉英才会の授業で鳴迫に褒められるということは、目標の幼稚園の合格に一歩近づいたことを意味する。

もっとも、鳴迫に褒められたから合格し、注文をつけられたから不合格になるわけではないが、悲願達成のために生活のすべてを犠牲にし、日夜神経を磨り減らしている母親達にとっては、彼女のひと言ひと言が毒にも薬にもなる。

「お母様方も覚えておいてください。慶明《けいめい》も十禅寺《じゅうぜんじ》も聖星も、面接試験のときには必ずお子さんの協調性のテストとして数人ずつのグループにわけて遊び道具を渡します。いまはボールを使いましたけど、幼稚園によって積み木であったり、お人形であったりと様々です。遊び道具がなんであれ、重要なことはお子さんがいかに周囲との和を保てるかということであり、我儘な子や孤立する子は面接官に非常に悪印象を与えます」

鳴迫の言葉を一言一句聞き逃すまいと、みな、真剣な表情で耳を傾けていた。

「それじゃあ、次のグループに行きましょう。こずえちゃん、美涼ちゃん、勝敏ちゃん、康夫ちゃん、前にいらっしゃい」

美涼が立ち上がり、不安そうに振り返った。私も娘に負けないくらいに鼓動が早鐘を打っていたが、笑顔で頷いてみせた。

子供は、親の表情の微妙な変化を察知する天才だ。私が不安な素振りをみせれば、それはすぐに美涼に伝染する。

「みんなには、お絵描きをして遊んでもらいましょう。なにを描くかは自由だから、お花でも動物でも、好きな絵を描いていいのよ」

鳴迫が、クレヨンセットと一枚の大きな画用紙を四人の前に置いた。

私は、固唾《かたず》を呑んで美涼の動きを見守った。

美涼にはいつも、砂場遊びや恵美の実家の託児所に預ける際に、共有するおもちゃを先に取ってはいけないときつく言い聞かせていた。

ボール遊びのときと同じように、恐らく、鳴迫は児童達の協調性をみるつもりに違いなかった。

それは、画用紙が一枚ということとクレヨンがワンセットということに如実に表れている。

その点については、少しばかり自信があった。

美涼は、私が、私が、と自我を出すようなタイプではない。

「さあ、始めましょう」

先にクレヨンに手を出したのは、こずえだった。心でにんまりとした矢先に、頬肉が凍《い》てついた。

「ねえ、なに色がいい？」

こずえは、自分のぶんのクレヨンを取ろうとしたのではなく、ケースごと抱えてみなに好きな色を選ばせようとしているのだった。

「こずえちゃん、さすがですね」

ゆり子が十和子を持ち上げる。

「そんなことないわよ。ただ、お節介なだけよ」

そう言いながらも、十和子の顔は誇らしげだった。

僕は青がいい。僕は黒だ。

「じゃあ、美涼ちゃんは？」

勝敏と康夫がクレヨンを選ぶと、こずえが美涼にケースを向けた。

私は息を止め、娘の動きを見守った。

こずえちゃん、好きなの選んで。こずえちゃん、好きなの選んで。こずえちゃん、好きなの選んで……。

私は、言ってほしい言葉を頭の中で呪文のように繰り返し、美涼に想念を送った。

美涼が無言で手を伸ばし、クレヨンを手に取った。しかも、よりによって、女の子に一番人気のピンク色をだ。

胃液が逆流し、胸の裏側を灼《や》いた。私は、感情が顔に出ないように細心の注意を払った。

鳴迫は、そのカメレオンのような広い視界で、児童だけではなく母親達の様子も窺っているのだった。

「みんなで、お城描こうか？」

そうこずえが提案したときには、既に美涼は画用紙の隅になにやら描き始めていた。

お城なんていやだ。なんでこずえちゃんが決めるんだよ。

今度は、ふたりの男の子に想念を送った。

「僕、かっこいいお城がいいな」

「僕も、かっこいいのがいい」

私の願いとは裏腹に、勝敏も康夫もこずえの意見に賛同した。

ふたりの母親が、ほっと胸を撫で下ろしたような顔をしていた。

彼女達の気持ちは、よくわかる。ここで反発するようなことを言ってしまえば、鳴迫にたいしての印象が悪くなってしまうからだ。

しかし、安心するのはまだはやい。こずえは女の子だから、かわいいお城を描きたいに違いない。そうなると勝敏と康夫がごね出し、揉めるのは必至だ。

その点、マイペースで絵を描いている美涼が揉め事に巻き込まれる心配はない。こずえに先を越されたが、展開次第では十分に逆転できる余地は残されていた。

「じゃあ、かっこいいのにしよう」

こずえの言葉に、耳を疑った。

大人ならば、相手に合わせるのはわかる。しかし、いくらこずえがませているといっても、二、三歳の子供が自分の意見を殺すような芸当ができるのだろうか？

それとも、若葉英才会での授業内容を想定して、自宅で十和子が教え込んでいるのだろうか？

どちらにしても、完全にしてやられた。こずえ達三人は、ひとり離れて黙々とクレヨンを走らせる美涼とは対照的に、互いに協力し合っていた。

そんな三人を、鳴迫も眼を細めてみつめていた。

私は、針の筵《むしろ》に座らされている思いだった。

憤怒と恥辱に吊り上がりそうになる目尻を柔和に下げ、引き結びそうになる唇に穏やかな弧を描いた。

表情と感情のギャップに、精神が悲鳴を上げていた。

席を立ち上がり、画用紙を引き裂きたいという衝動を堪えた。

激情の赴くままに行動してしまったら、これまで築き上げてきた一切が崩れてしまうという思いだけが、足を踏みとどまらせた。

私は懸命に頭の中を空無にし、菩提樹《ぼだいじゅ》に背を預け瞑想に耽《ふけ》る求道《ぐどう》者のように、ひたすら、時間《とき》が過ぎ去るのを待った。

視界から美涼やこずえの姿を、鼓膜から児童達のざわめきを消した。

「はい、よくできましたね」

視界が風景を、鼓膜が音を取り戻した。

嗚迫が、両手に持った画用紙を母親達に向けた。

こずえ達三人が描いたのは巨大なロボットのようなお城で、美涼の絵は私のお手製の絵本に出てくるピンクのクマだった。

「四人とも、よく描けてますね。お母様方、拍手してあげてください」

私は胸の前で手を叩きながら、はやく次のグループに移ってくれることを祈った。

「ただし、お受験では、絵が上手に描けたかどうかよりも、大事なことがあります。それは、みなとの和を大切にするということでしたよね？」

胃が収縮し、食道になにかが詰まったような違和感を覚えた。

「お城の絵を描いた三人は合格です。とくに、こずえちゃんの振る舞いは立派でした。なにが立派かというと、第一に、みなにクレヨンを選ばせたこと。第二に、みなで一緒に絵を描こうと言ったこと。第三に、自分の描きたい絵を押し通すよりも勝敏ちゃんや康夫ちゃんとの和を優先したこと。口で言うのは簡単なようですけれど、幼いお子さんにはなかなかできることではありませんよ。そして、なにより素晴らしいのは、男の子好みの絵なのに、ちゃんとこずえちゃんらしい個性を出していることです」

鳴迫が、ロボットのようなお城の周囲に咲く草花と蝶の絵を指差した。

「毎年、多くのお子さん達をみてきた私も、こずえちゃんにはびっくりさせられました。いままで、こんなに完璧なお嬢ちゃんは、ちょっと記憶にありません」

母親達の憧憬と嫉妬の眼差しを注がれる十和子は、そのどちらの視線も気にしているふうもなく、涼しげな顔でこずえに手を振っている。

「最後に、美涼ちゃんは絵はとてもお上手なんですけど、もうちょっとみなとの協調性を大事にしたほうがいいですね」

教室全体が、蜃気楼《しんきろう》のように歪んだ。耳奥で金属音が鳴り響き、偏頭痛に襲われた。

どうしたら、こずえちゃんのようになれるのかしら？　ウチでは、まだまだやんちゃですのよ。親の背をみて子供は育つというけど、十和子さんなら納得ね。私なんて、なにも特別なことしてないのよ。ウチの子を、お受験の日まで北林さんの家に預かってもらおうかしら。なに馬鹿なこと言ってるの。

十和子への賛辞の嵐が、金属音のボリュームに拍車をかけた。

「のぶ子さん。のぶ子さん」

自分の名を呼ぶ声。怪訝そうな静子の顔が、目の前にあった。

「どうしたの？　ぼーっとしちゃって」

「先生は？」

私は、教室内に鳴迫の姿を捜しながら訊ねた。

「まあ、いやだ。いまは休憩時間よ。先生が出て行ったことに、気づかなかったの？」

「静子さん。のぶ子さんは落ち込んでるのよ。先生も、みなの前で名指しで美涼ちゃんを吊し上げるようなことをしなくてもねぇ。芳江さんも、そう思いません？」

同情的な口調とは裏腹に、ゆり子の言葉には悪意がたっぷりと含まれていた。

「そうね」

曖昧な笑みを浮かべて受け流す芳江に、ゆり子と静子が拍子抜けした表情をみせた。

静子にも、ゆり子と同様にあの写真が届いていないのだろうか？

もし届いているのなら、恵美達のように攻撃の的が私にではなく芳江に向いているはずだ。

「だから、公園でも言ったでしょう？　親の姿勢が、美涼ちゃんにも影響するって」

十和子が、咎めるような眼を向けてくる。

――のぶ子がずっと離れたところに立っているから、美涼ちゃんも同じようにするのよ。子供は、親の言うことを聞かないけど、親のやっていることはまねするものだから。

十和子の言うように、私自身、協調性というものが皆無の人間だった。娘が傷つかないように……いや、自分が傷つきたくないために美涼をほかの子供達から遠ざけてきた。

息を止めた。耳の奥に力を込め、パリパリと鼓膜を鳴らした。

そういえば美涼ちゃん、いつもひとりで遊んでいるものね。

私も気をつけなきゃ。

美涼ちゃんのためを思うなら、あなた自身が変わらないと。

のぶ子さんも、美涼ちゃんみたいにひとりで遊ぶのが好きだったの？

去年、仁科《にしな》さんの息子さんも鳴迫先生に同じように注意されて、二次試験で不合格だったんですって。

のぶ子。あなたのためなのよ。

耳の奥に力を込め、鼓膜を鳴らす、鳴らす、鳴らす……。

頭の中で、甲高い破損音が鳴り響いた。


「ママ、クマさんの絵、うまかったでしょう？　美涼ね、ママの絵をいつも描いてたんだよ」

補助椅子から振り返る美涼から眼を逸らし、私はブレーキをかけた。美涼を補助椅子から降ろし、駐輪場に自転車を入れる。

「先生もお上手だって言ってた。今度はリスさんを描こうかな」

美涼の手を引き、三号棟の階段を上る。シリンダーにキーを差し込み、ドアを開けた。

「ねえねえ、ママは、美涼になにを描いて……」

「何度言ったらわかるのっ」

私は塞《せ》き止めていた感情を解き放ち、右手を美涼の頬に振り下ろした。掌に激しい痛みが広がり、沓《くつ》脱ぎ場に美涼が尻餅をついた。

びっくりしたような顔で頬を押さえる美涼が私を見上げた。すぐに唇がへの字になり、大きく口を開けて泣き始めた。

「どうして、こずえちゃんみたいにできないのっ」

私は膝をつき、火がついたように泣き叫ぶ娘の肩を揺すりながら太腿に掌を打ちつけた。

「ママはいつも教えてるでしょ！　どうしてっ、どうしてっ、どうしてっ」

美涼の叫喚を私の金切り声が掻き消した。

「ごめんなさい……ごめん……ママ……ごめんなさい……」

紅潮した顔を涙に濡らし、しゃくりあげる幼女をみて、太腿を叩く右手によりいっそう力が入った。

「どうしてあなたはそうなのよ！　どうして……どうして……」

私は、燃え立つ視界で泣きじゃくる「私」の太腿に、うわ言のように繰り返しながら平手を打ち続けた。


静寂な室内に、番号ボタンを押す効果音が鳴り響く。電話機のディスプレイに浮かぶデジタル時計の表示に視線を落とす。

AM 1：11。受話器を持つ手が汗ばんだ。息を殺し、コール音を数える。三回、四回……八回目で、コール音が途切れた。

『もしもし……』

眠そうな芳江の声を耳にし、フックを押した。すぐにリダイヤルボタンを押す。今度は二回目で受話器が取られた。フックを押し、リダイヤルボタンを押した。

『誰です？　悪戯《いたずら》は……』

フックを押し、リダイヤルボタンを押した。受話器が取られた。今度は無言。フックを押し、リダイヤルボタンを押した。

『タダイマルスニシテオリマス　ゴヨウケンノカタハ　ピーットイウハッシンオンノアトニ……』

フックを押し、リダイヤルボタンを押した。ふたたび、コンピュータの声が流れてくる。

フックとリダイヤルボタンを押すことを繰り返し続けた。

デジタル時計の表示は、AM 1：43になっていた。

今度は、別の電話番号を押した。

『はい。きたばや……』

私は、人差し指をフックに叩きつけた。そしてすぐに、リダイヤルボタンを押した。

10

　ふたつ並んだ弁当箱に玉子焼きとプチトマトを詰め、次にブロッコリーに取りかかろうとしたときに、アラームが鳴った。

　目覚まし時計に眼をやった。午前六時。箸を置き、アラームのスイッチを切り、台所を出た。欠伸《あくび》を嚙み殺しつつ、子供部屋に向かう。

　昨夜《ゆうべ》は、芳江達に無言電話をかけ続け、布団に入ったときには午前二時を過ぎていた。四時半に起きて弁当の用意を始めたので、睡眠時間は二時間少々というところだった。

　本当は、その二時間でさえ削りたいくらいだった。聖星の一次試験まで、あと一ヵ月しかない。

　やらなければならないことは、無尽蔵にあった。

　二段ベッドの下段……美涼の肩を揺すった。

　幼稚園は九時からなので、聡を起こすのは一時間くらいあとでいい。

「朝よ」

「眠いよ……」

美涼が布団の中に潜り込む。私は、一気に掛け布団を剝いだ。

「ママ、寒い」

「はやく起きなさい」

身を丸める美涼の腕を引き、強引に起き上がらせた。そのまま、洗面所へ引き摺るように連れてゆく。

「はい。自分でやってみなさい」

言いながら、歯磨粉のチューブと歯ブラシを美涼に渡した。もう、メニューは始まっている。ひとりできちんと歯を磨くのも、大切な勉強の一環だ。

寝ぼけ眼《まなこ》で、チューブを押す美涼。歯ブラシから垂れ落ちた歯磨粉がパジャマの胸もとに付着した。

「ほら、出し過ぎなのよ。そんなに歯磨粉を使わなくても、歯はきれいになるんだから」

私はパジャマについた歯磨粉をティッシュで拭いつつ、歯ブラシを持つ美涼の手を口もとに押した。

「それじゃあ、撫でてるだけじゃない。こうやるのよ」

美涼の背後に立ち、細い手首を摑んだ。上顎の前歯を上から下に払うように歯ブラシを動かした。五分ほど同じ動作を繰り返し、美涼から手を離した。

「はい、今度は自分でやって。下の歯は、上の歯と逆だから。下から上に、歯ブラシを動かすの。ママはちょっと、台所に行ってくるから」

フライパンの蓋を開ける。ふたつの目玉焼きが、ちょうど半熟に焼けていた。

弁当以外にも、朝食の用意をしなければならない。先に焼いておいたウインナーの脇に目玉焼きを添えた。聡の皿にラップをかけ、洗面所に戻った。

美涼が頼りない手つきで、歯ブラシを動かしていた。幼いなりに母親のやったことをまねようとしてはいるが、歯ブラシの面が一定せずに磨き残しだらけだった。

「毎日やっていることなのに、どうしてできないの。貸しなさいっ」

健気《けなげ》な娘の努力を褒めてあげられないのは、とうの昔にこずえはひとりで歯を磨いているという事実と無関係ではなかった。

結局、今日も私が最後まで手を貸すことになった。

食事を始めた美涼の前に座り、テーブルの端に積み重ねてある画用紙の束から手に取った一枚を翳した。

「ここに、五匹の生き物がいます。ママが指す生き物の名前を言ってちょうだい」

私はまず、タコの絵に指を当てた。

「タコさん」

「そう、これは？」

「うーん……イカさんだよ」

胸を撫で下ろす。足が多いという共通点があるせいか、美涼はタコとイカの名前をよく逆に言っていた。

「じゃあ、これは？」

「イルカさんだっ」

大好きなイルカに、美涼が手を叩いてはしゃぐ。

「はい、次」

「メダカさん」

ここまでは、順調だった。しかし、問題は次だ。最後に残ったタイで、いつも美涼は躓《つまず》いてしまう。

「じゃあ、このお魚は？」

「ええっと……」

美涼が、ウインナーを口に運ぶ手を止めて考え込んだ。

「昨日も間違って、教えてあげたでしょう？」

娘がパニックにならぬよう、無理に作った笑顔で優しく言った。

「ええっと……」

「ほら、あれよ。あんこが入っているお菓子。美涼も、何度か食べたことあるじゃない」

画用紙を持つ指先に力が入った。出題して、既に一分が経過している。ここは、根比べだ。教えて思い出した答えは、すぐに忘れてしまうものだ。時間がかかっても、自分で思い出さなければ身につきはしない。

いままで愉しそうに答えていた美涼の顔が苦しげに歪み、赤く染まった。

「わかんない。ママ、教えて」

「だめっ。思い出すのよ！」

また、やってしまった。美涼はすっかり萎縮してしまい、身を強張らせていた。

「お祝いのときとかに食べる魚よ。わからないの!? 昨日も一昨日《おととい》もその前も、間違った問題でしょう？」

「だって……わからないんだもん」

「そうやってよく考えもしないで諦めるから、忘れちゃうんじゃないっ。ほら、よくみて。思い出しなさいっ」

私は、画用紙のタイの絵に人差し指を突きつけながら、声を荒らげた。

このあと、聡を起こすまでにカタカナのドリルをやらせ、幼稚園に出かけるまでに洋服の着衣と二次試験に向けての挨拶、そして、想定される質問にたいしての受け答えの練習をしなければならない。

こんな初歩的なテストで、足踏みしている時間はない。

——この前、こずえとスーパーに行ったら、これ、鮎《あゆ》でしょ？　って言うのよ。そんな魚教えたことないのに、もう、びっくりしちゃったわよ。

ある「お茶会」のときの、誇らしげな十和子の顔が昨日のことのように瞼の裏に蘇る。

「……フグさん？」

消え入りそうな声。怖々と、美涼が問いかけてくる。

「フグはもっと、ふっくらしてるでしょ！」

私の金切り声に、電話のベルが重なった。

「思い出すまで、ご飯はお預けよ」

美涼に言い残し、私は茶の間へ向かった。

「はい。中西ですが」

『のぶ子さん？　私、芳江よ』

彼女の声は憔悴《しょうすい》し、まったく覇気がなかった。

「あら、どうしたの？」

まだ、六時半。こんな時間に、誰かから電話がかかってくることなどなかった。

『嫌がらせが、凄いのよ』

芳江が早朝から電話をかけてきた理由がわかった。

「嫌がらせ？」

私は、怪訝な声を出してみせた。

『そうなの。一時頃から、ひと晩中、悪戯電話がかかってきて……』

芳江の深いため息が、鼓膜を心地好く愛撫する。

しかし、大袈裟な女だ。

たしかに私が無言電話をかけ始めたのはそのくらいの時間だが、二、三十分程度のものだ。

「それは、ひどい話ね」

私は、彼女に話を合わせ、相手にみえもしないのに眉間に縦皺を刻みながら同情的な声を出した。

『留守番電話にしても何度もかかってくるし、途中でしばらく途絶えたんだけど、二時間ほどしたらまたベルが鳴り始めて、トイレに起きた主人が電話に出て怒鳴ったんだけど、全然効き目がなくて……ようやく鳴り止んで寝ようとしたときには、もう、起きる時間だったのよ』

「ご主人が、電話に出たの？」

思わず、訊ねていた。

『ええ……何度も。おかげで、お前が出たら喋るんじゃないか、なんて、勘繰られる始末よ。そのあと、私が出ても無言で切れたのをみて疑いは晴れたんだけどね』

芳江の声が、耳を素通りしていた。

私がかけたときには、彼女の夫など一度も出なかった。まさか、そこまで話を膨らませるとは思えないし、また、誇張する理由がなかった。

ならば、ひと晩中嫌がらせの電話が鳴っていたというのは本当のことだ。

「いったい、誰がそんなことを？」

今度は、白々しく惚《とぼ》けたわけでも話を合わせたわけでもない。

心の底からの疑問だった。

『そんなの、私が知りたいわよ。どうして、こんな目にあわなければならないの？　弘に勉強を教えるのだって身が入らないし、やらなければいけないことが山積しているっていうのに……これじゃ、私の身が持たないわ』

耳を疑った。

息子に勉強を教えるのに身が入らないとは、あのお受験ママの代名詞のような女性の口から出た言葉とは思えなかった。

本人の言うとおり、芳江の神経はかなり衰弱している。

もうひとりの犯人に思いを巡らせるのはひとまずあとにして、ここは、追い討ちをかけることにした。

「やっぱり、あの写真が原因なのかしら」

私は、さりげなく呟いた。

『あの写真って……じゃあ、順子達が？』

芳江が、お化け屋敷に入る子供のように怖々と訊ねた。

「そうは言ってないわ。ただ……」

言葉を切り、耳を澄ました。不自然なほどの静寂。息を呑み、呼吸を止め、受話器を握り締めている彼女の姿が眼に浮かぶ。

私は、十分にもったいをつけ、間を置いた。

「あの写真を撮った人物が、無差別に写真を送りつけているとしたら……」

『無差別ですって……？　そんなことをして、いったい、なになるというの？　私に、どんな恨みがあるっていうのよっ』

　金切り声が、受話口を軋ませる。

「根拠があるわけじゃないけれど、写真を撮ったのは愉快犯だという気がするわ。彼らには、常識や理屈が通用しないのよ。他人が不幸になっている姿をみて愉しむ……そういう人種だったら、ひと晩中無言電話をかけ続けるくらい、平気でやるんじゃないかしら」

　愉快犯の存在を口にしたのは、芳江の不安感を煽るのと順子達から眼を逸らさせる意図があった。

　この状況が続けば、芳江は受験を諦めるかもしれない。ひとりの落伍者が出ること即ち、確実にひとりぶんの席が空くことを意味する。

　身内に嫌疑の眼が向くと、不安に耐えきれなくなった芳江が彼女達を追及し、なにかの拍子に私に火の粉が降り懸からないともかぎらない。

　芳江から相談を受けたとはいえ、最初に彼女に万引き現場の写真をみせたのは私なのだから。

『私は、どうすればいいの……？』

　芳江が泣きそうな声で縋りつく。

普段から他人を攻撃ばかりしている人間は、いざ、受け身に回れば打たれ弱いものだ。

「昨日も言ったけど、あなたはなにもしないで。いま、順子さんや恵美ちゃんに探りを入れているところだから」

もちろん、そんな無意味なことはしない。そうやってのらりくらりと時間を稼ぎ、芳江が自滅するのを待つのが狙いだった。

『いままで、あなたにひどいことばかりしてきた私に……ありがとう……本当に、ごめんなさい』

声を詰まらせる芳江。心が、急速に冷えてゆく。いまさら罪の意識を感じなにを言ったところで、遅過ぎる。

私は、いま芳江が苛まれている地獄を、「お茶会」で、「砂場の集い」で、若葉英才会で……一歩外に出た瞬間に延々と体験しているのだ。

「なに水臭いことを言ってるのよ。私達、仲間じゃない」

受話口から、啜り泣きが漏れ聞こえてきた。

茶の間に現れた美涼が、耳もとで、タイさん、と囁いた。

私はこれ以上ないほどの笑顔で、娘の頭を撫でてやった。

11

「あと、十日を切りましたね」

恵美が、カフェ・オ・レのカップをソーサに戻しながら深いため息を吐くと、順子と真理子が硬い表情で頷いた。

三人には受験する子供はいないというのに、まるで我がことのように緊張していた。

恵美と順子は三年後、真理子は近い将来にくるであろう「そのとき」を疑似体験しているのだろう。

「そうね。でも、やるだけのことをやったんだし、なるようにしかならないわよ」

十和子が、いつもと変わらぬ明るい調子で言うと、口もとを綻ばせた。

聖星女子大学付属幼稚園の一次試験は十一月九日。運命の日の足音がすぐそこまで近づいているというのに、この余裕はどこからくるのだろうか？

「日宮ピアノ学院」に通い始めてわかったことは、院長の日宮と十和子が想像以上に昵懇の仲ということだった。

それは、日宮の美涼とこずえにたいする態度でわかった。

というのも、こずえが失敗しても日宮はあの気取り澄ました微笑みを絶やさないのに、美涼のときは露骨に不機嫌な顔になるのだ。

きっと十和子は、若葉英才会の鳴迫にそうしているように、高価な贈り物をしているに違いなかった。

聖星OBの日宮の存在が、十和子の余裕の原因なのかもしれない。

しかし、日宮の力が発揮できるのは二次試験の面接からであり、抽選で決まる一次試験に政治力の介入する余地はないはずだ。

十和子の余裕が、みなの前でのポーズだとは思えなかった。

私の想像のつかない、裏技のようなものがあるのだろうか？

思考の回転を止め、正面の椅子……空席に視線をやった。

私には、十和子の水面下での動きと同じくらいに気になることがあった。

「それより、芳江、どうしちゃったのかしら。何度か家に電話をかけたんだけど、繋がらないのよ」

十和子が、心配げな顔で誰にともなく呟いた。

繋がらなくてあたりまえだ。芳江は、無言電話にコードを抜いているに違いなかった。

る。


私は、恵美、順子、真理子の様子を窺った。三人とも、申し合わせたように首を傾げてい
る。

いや、ようにではなく、しっかりと口裏を合わせていることだろう。

だからといって、彼女達が……または彼女達の中の誰かが犯人とはかぎらない。

ローズ・フェアリーで「お茶会」が始まってから、私はずっと、明け方まで芳江の家に無言電話をかけ続けている犯人を探していた。

だが、三人とも怪しいと言えば怪しいし、そうでないと言えばそうではなかった。

「あなた達、誰か彼女と連絡を取っている人いない？」

十和子が、私を含む四人に視線を巡らせた。

「さあ、普段から彼女とはあまり連絡を取ってないから」

順子の言葉に、真理子が頷いた。

「風邪で具合でも悪いんじゃないんですか？」

そして、恵美が続けた。

「でも、連絡もしてこないなんて。彼女らしくないわ」

十和子が訝しむ気持ちは、よくわかる。

いつの日からか、みながローズ・フェアリーに集うようになって約一年。その間に、芳江

が顔をみせなかったのは二、三回くらいのものだったが、三十九度の高熱を出したときも親戚の葬儀のときも十和子の家か、または店に連絡が入った。

芳江が、特別に几帳面というわけではない。

「仲間」同士の情報交換とコミュニケーションは、お受験狂想曲の調べに乗って踊る私達にとっては、病気よりも身内の不幸よりも優先しなければならない重要な務めだ。

「のぶ子は……知らないわよね」

十和子が私から眼を逸らし、本当にどうしちゃったんだろう、と表情を曇らせる。

知らないどころか、先月は、無言電話に困っていると相談まで受けているのだ。

私は内心で安堵《あんど》したことを悟られぬよう、神妙な顔つきで頷いた。

「明日には、出てくるわよ。大事な時期なんだから、人の心配もいいけど、自分のことを考えなきゃ」

私は、真理子の言葉に賛辞を送りたい気分だった。

本当は心でほくそ笑んでいるくせに、偽善にもほどがある。

もし本心ならば、十和子は天使以外のなにものでもない。

お受験の世界は、隙あらば他人の足を引っ張ってやろうと虎視《こし》眈々《たんたん》と狙っている者の吹き溜まりだ。

私は、犯人探しに思考を戻した。

とりあえず、真理子はシロだろう。根拠はないが、彼女の雰囲気でそれはわかる。

残るは、順子と恵美。十和子の問いに返した彼女達の言い回しは、少なくとも真理子よりも疑わしい。

しかし、芳江の万引きを知っているのは、この三人だけではない。若葉英才会のふたり……ゆり子と静子にも、写真を送っているのだ。

「ねえ、その芳江さんの件なんですけど、最近、なんだか様子が変だと思いません？」

恵美が、十和子に探りを入れるように訊ねた。

順子と真理子が、身を乗り出した。

まずい展開になってきた。

三人は、これまでの十和子の芳江にたいする友好的な発言に、万引きの一件を知らないのではないかと疑っている。

だから、確かめようとしているに違いなかった。

焦燥感が背筋を這い上る。十和子の耳にそれが入れば、厄介なことになる。

お節介な彼女のことだ。俄《にわか》探偵に早変わりし、犯人探しに乗り出すことだろう。

まさか私を疑いはしないとは思うが、それでも、いろいろと協力を要請されることになる。

それだけではない。十和子が介入すれば、みなに招集をかけ、芳江に真実を問い質《ただ》す展開になる。当然芳江が万引きを認めるわけはなく、私にたいしてそうだったように言い訳に終始するのは目にみえている。

その結果、十和子は芳江を信じ、芳江はみなに知られたことで精神的負担が軽減する。せっかく、あとひと息でお受験競争から脱落するかもしれないというのに……すべてを台無しにするわけにはいかない。

「恵美ちゃんもそう思う？」

質問に質問で返す十和子。

「そういえば、昨日、ウチの主人が芳江さんを中城《なかしろ》病院前の交差点でみかけたと言ってたわ」

私は、思い出したように言った。話題を変えたい一心で、無意識に嘘が口をつく。帳尻は、あとで合わせるしかなかった。

「中城病院前の交差点で？」

十和子が私に顔を向け、片側の眉を微かに吊り上げた。

「風邪でも引いたのかしら」

順子が苺のシフォンケーキをフォークで突っつきながら首を傾げた。

「マスクをしてたと言っていたから、多分、そうだと思うわ」

四人が複雑ないろを表情に浮かべた。

私には、それがどういう心理状態からくるのか想像がついていた。

ライバルがひとり減るかもしれないという歓喜と、風邪を移されるかもしれないという不安。

もし私が彼女達の立場でも、同じような気持ちになるだろう。

「大丈夫かしら、芳江」

十和子が声のトーンを落とす。

「弘ちゃんに移らなければいいけど」

順子が顔を曇らせる。恵美と真理子が、心配そうに頷く。

みな、同情しているふうを装ってはいるが、誰ひとりとして見舞いに行こうと口にする者はいない。

「今日、様子をみに行こうかしら。十和子、時間ある？」

私は、万引き写真の一件から話題を遠ざけるために、鈍感な女を演じた。

「山梨に住んでいる親戚が上京してくるから、今日は都合が悪いのよ」

「みんなは？」

ウチの人の知人のお通夜があって。

祖母のお墓参りに行く予定なの。

腰痛で寝込んでいる母の世話があるから。

順子、恵美、真理子が私から眼を逸らす。

親戚の上京に知人の通夜に祖母の墓参りに母の世話。揃いも揃って都合よく、外せない用事があるものだ。

百歩譲って彼女達の用事が本当だとしても、芳江の家を訪れるくらいの時間はあるはずだ。

もっとも、私の狙いは別にあった。

「そうそう、山岡さんの奥さん、ご主人と別居しているんですってよ」

唐突に話題を変える順子。

「だって、あのご夫婦、あんなに仲がよかったじゃないですか？」

恵美が救われたように順子の話に食いついた。

「先月だったかしら、私も、家族三人でどこかへ出かける姿をみかけたわ」

十和子が驚いたように眼を見開いた。

「端からじゃ、わからないものね」

ため息を吐く真理子。

もう、誰も芳江の話題に触れようとする者はいなかった。

まるで、彼女の名前を口にしただけで「風邪」が移るとでもいうように。

「なにが、原因なのかしら？」

珍しく私は、噂話に参加した。


『タダイマルスニシテオリマス　ゴヨウケンノカタハ　ピーッイウハッシンオン……』

私は、通話ボタンを切り、今度は携帯電話のほうにかけた。

『オカケニナッタデンワハ、デンパノトドカナイバショニアルカ……』

ふたたびの無機質なメッセージに、貧乏揺すりが激しくなる。

どこかへ出かけているのか？　それとも居留守を使っているのか？　どちらにしても、はやく芳江に連絡を取らなければまずい。

ローズ・フェアリーでは、うまく話題を変えることに成功した。

しかし、そのために吐いた嘘の口裏を合わせておかなければならない。

もし、誰かが芳江と連絡を取り、または彼女と鉢合わせした場合、風邪の具合は大丈夫？という話になる。

当然、わけのわからない芳江は首を傾げ、私の嘘は白日のもとにさらされる。

なぜ、そんな嘘を吐いたのか？　みなの疑念は憶測を呼び、隠された真実まで暴かれる可能性があった。

「ほら、ママ、みてみて！」

砂場で美涼が、クリーム色の長い被毛に覆われた小型犬の頭を撫でながら興奮気味に叫んだ。

小型犬の傍らでは、そんな娘を初老の男性が柔和な笑みを浮かべて見下ろしていた。

「離れなさいっ」

私はベンチから立ち上がり、慌てて美涼に駆け寄った。

「大丈夫ですよ。このコはおとなしいですから」

初老の男性が、美涼から私に視線を移して穏やかに言った。

「本当だよ。すっごくおとなしいワンちゃんなの」

「いいから、こっちにきなさい」

私は美涼の手を取り、ベンチへと引っ張った。

「ママ、まだ、ワンちゃんと遊びたいよ」

「動物にはね、黴菌《ばいきん》が一杯ついてるんだから。もうすぐお受験なのに、病気が移ったらどうするの？」

腰を屈め、美涼の肩に手を置き諭すように言った。

「黴菌なんて、ついてないもん。あのワンちゃん、汚なくないもん」

「いいから、ママの言うことを聞きなさいっ」

公園の出口へ向かっていた初老の男性が、びっくりしたように振り返った。

美涼の唇がへの字に曲がる。まただ。そう思った矢先のことだった。

「はい。お嬢ちゃんにも、一本あげる」

声の主を見上げた。美涼と同い年くらいの娘を連れた若い女性が、スティックつきのキャンディを差し出してきた。

ジーンズと「ミッキーマウス」がプリントされた紺色のトレーナーという女性の服装をみて、お受験ママではないだろうことはわかった。

娘のほうは、「ミニーマウス」のプリントが剝げかけた赤いトレーナーを着ていた。

他人《ひと》のことは言えないが、ふたりの出立《いでたち》は聖星を目指す母娘に相応しいものではなかった。

それに、私は自分の着るものに無頓着でも、美涼にはどこへ出しても恥ずかしくない格好をさせているつもりだ。

「ありがとう」

美涼がぱっと顔を輝かせ、キャンディを受け取った。

「ちょっと、美涼……」

「心配しなくても、毒は入ってないですよ。賞味期限も切れてないし。それとも、虫歯が心配とか？」

女性が、人を食ったような物言いをしながら、私の隣に座った。

「あなたも、一本どう？」

キャンディを宙に翳す女性をみて、私は呆気に取られた。

彼女の言動は、初対面の人間にたいしてずいぶんと馴々《なれなれ》しいものだった。

ゆり子と同様にまだ二十代にみえるが、不思議と、彼女達とは違っていやな感じはしなかった。

「いいえ。それより、あなたは？」

「田町良子《たまちりょうこ》。私、この近所に住んでるの。あなた、のぶ子さんでしょう？」

警戒心が鎌首を擡《もた》げる。

「どこかで、お会いしたかしら？」

私は、探るように訊ねた。

「一方的にね。あなたが、お仲間の人達とこの公園にいるのをよくみかけるの」

「そうだったの」

私は胸を撫で下ろした。

「ほら、ふたりで遊んでらっしゃい」

いいでしょう?

同意を求める良子に、私は頷いた。

「あっちにきれいなお花が咲いてるの。行こう」

良子の娘が美涼の手を取り、植え込みに向かって駆け出した。

「娘さんは、お幾つ?」

私は訊ねた。

「もうすぐ、三歳になるわ」

「じゃあ、美涼と同じね」

「愉しそうだと、思わない?」

「え?」

「あの子達のことよ」

良子が、大声ではしゃぐふたりの娘をみて眼を細めた。

「草花一本、石ころひとつで幸せな気分になれる。子供って、遊びをみつける天才よ」

「そうね」

私は生返事をした。

少なくとも、いまの美涼には関係のない話だ。

「犬や猫は、子供のうちに兄弟で戯《じゃ》れ合い、駆け回っているうちに、狩りの方法や近寄ってはならない場所を覚えるんですって」

視線を我が子と美涼に向けたまま、良子が唐突に言った。

どうやら、話し相手に選ばれたらしい。彼女には悪いが、お受験組ではない一般の主婦の暇潰しにつき合う時間はなかった。

芳江にも、連絡を取らなければならないのだ。

「苦しくない？」

彼女がなにを言っているのか判然とせず、私は首を傾げた。

「のぶ子さん達をみるたびに、そう思ってた」

良子が煙草をくわえ、慣れた仕草で火をつける。

お受験ママ達の前で煙草など吸ったら、それだけで弾かれてしまう。

煙草だけではなく、いま彼女がやっているように足を組んだり、隣に座る人のことを考えずにベンチに荷物を置いたりするのも眉をひそめられる行為だ。

つまり、彼女の言わんとしているのは、そういうことなのだ。

「聖星を目指しているんだから、みな、苦しいのは同じよ」

良子に、というよりも自分に言い聞かせた。

お受験狂想曲の渦の中で、誰もが苦しんでいるのは本当のこと。だが、私ほどではない。

聖星女子大学付属幼稚園というとてつもなく高い壁に挑む者同士。

目的地は同じでも、十和子や芳江とはもともとの立ち位置が違う。

彼女達が普通に歩くスピードに追いつくには、私は駆け足でなければならない。

彼女達が休憩を取っても、私には立ち止まることは許されない。

だが、構わなかった。人より険しい道程であっても、目的地に到達すればそこには薔薇が咲き誇る楽園が広がっている。楽園の住人になることで、学歴も育ちも資産も、その一切が問われなくなる。

なぜなら、そこに咲く薔薇達は永遠の幸福を約束された選ばれし者だから。

「親は、それでいいんじゃない」

奥歯に物が挟まったような言い回しが、癪に障った。

「なにか、言いたそうね」

「あの顔をみて、心が痛まない？」

良子が、満面に笑みを湛えてはしゃぎ回る美涼に視線を移して問いかける。

「悪いんだけど、あまり時間がないの。言いたいことがあるのなら、はやくしてくれる？」

私は、いら立ちを覚えた。その理由が、時間とは別にあることに気づいていた。

「時間がないのは、美涼ちゃんのほうよ。あと七、八年もすれば、思春期が始まるわ。本当の意味でお母さんに甘えられるのは、いまだけよ。なのに、あなたは、その貴重なひとときを叱ったり勉強させてばかり。のぶ子さんにとって、一番大事なものはなに？　美涼ちゃん？　それともお受験？」

「なにを言い出すかと思えば。美涼に決まっているじゃない。厳しいことばかりを言うのも、将来のため……あの子のためなのよ」

「あなたのためでしょう？」

彼女のひと言が、切っ先鋭く胸に突き刺さる。

「あなたは、なにもわかっていないわ。いまのうちに頑張って聖星に入ることができれば、小学校から大学までの十六年間、あの子が楽になるの。でも、二歳や三歳じゃそういうことがわからないから、親が一緒に戦うんじゃない。それを、私欲のためにやっているみたいに言わないでっ」

思わず、声を荒らげた。

相手にせずに、受け流すこともできたはず。心のどこかで、彼女を羨み、また、共鳴している自分がいた。

「そんなの、わかりたくもないわ。あなたの言うように十六年間苦労することになっても、私はいまの三年間を大切にしてあげたいの」

「そんなこと……」

言われなくても、わかっている。

口には出さなかった……いや、出せなかった。

無邪気さを拒絶する母親。美涼には、つらいことなのかもしれない。

花の可憐さを、動物の健気さを、大地の寛容さを娘は知らない。

知ろうとはしていた。

その曇りなき瞳で、そこここに溢れる優しさをみつめようと……その小さな胸で、そこここに溢れる愛を感じようとしていた。

許さなかった。お受験にマイナスになる可能性のある要素は心を鬼にして排除してきた。

「聖星は立派な幼稚園かもしれない。でも、親子で地獄をみてまで、入る価値があるのかしら？」

地獄……。たしかに、お受験は地獄だ。だが、いまに始まったことではない。

物心ついたときから、私の世界に光はなかった。自分という存在を認識していくほどに、闇は深まっていった。

夫との出会い。もしかしたなら、違う世界へ行けるのではないかと期待した。甘かった。夫との結婚生活に光はなく、それどころか、闇は深まるばかりだった。萌芽することなく地中に埋もれる球根のように、生涯を暗黒の世界で息を潜め生きてゆくものだと諦めかけていたときに、美涼が生まれた。

私は、新しい息吹に一縷《いちる》の望みを託した。

自らの養分のすべてを分け与えてでも、別の花を咲かせてみせよう……そう心に誓った。

それを私欲と言うのなら、言わせておけばいい。それを地獄と言うのなら、喜んで足を踏み出そう。

陽の届かない場所で腐敗するのを待つだけの人生以上の地獄など、この世に存在しないのだから。

「これで、失礼するわ」

私は彼女の問いに答えず、腰を上げた。

「あなたは、ありのままの美涼ちゃんじゃなく、有名幼稚園に通う美涼ちゃんを愛してるのよ」

追い縋る良子の声が、背中を滅多突きにする。振り返らずに、すっかり仲良しになった幼子達のほうへ足を向けた。

「いらっしゃい。ピアノの時間に遅れるわよ」

まだ遊び足りなそうにしている美涼の白く華奢な手首を摑み、公園の出口へ歩を踏み出した。

12

「咲《さき》ちゃんちね、猫ちゃんを飼ってるんだよ。うさぎさんよりちっちゃいんだって。『キティ』ちゃんみたいだって言ってた。美涼も欲しいな。『キティ』ちゃんかわいいもん」

高田馬場駅へと向かう道すがら、補助椅子から振り返った美涼が興奮気味の口調で言った。

咲とは、さっきまで遊んでいた良子の娘のことだった。

「『キティ』ちゃんは口がないだろ。口がない猫なんていないよ」

荷台から聡が美涼の揚げ足を取る。

「でも『キティ』ちゃんは猫だもん。ね？　ママ。猫だよね？」

今日は、風が強かった。いつにも増して、ペダルが重く感じられた。

――あなたは、ありのままの美涼ちゃんじゃなく、有名幼稚園に通う美涼ちゃんを愛してるのよ。

向かい風ばかりが、理由ではない。

あの、良子という女性が最後に投げかけてきた言葉が、耳について離れなかった。

けたたましいサイレンが、背後から迫ってきた。私は自転車を路肩に寄せ、猛スピードで走る救急車をやり過ごした。

車内に横たわっているのが、十和子ならば……。

慌てて、思考を切り替えた。不意に浮かんだ自分の考えにぞっとした。

「ママってば。猫だよね？」

「そんなこと、どうでも……そうね。『キティ』ちゃんは猫よ」

「ほら、ママが猫だって」

嬉しそうに、それは本当に嬉しそうに綻ばせた顔を聡に向ける美涼。

私のたったひと言で、幸せそうな笑みを浮かべる娘から堪らず眼を逸らす。

美涼のこの笑顔は、いまだけのもの。私は母親として、彼女が十年先にも同じ微笑みを湛えることができるように、ペダルを踏み続けなければならない。

目先の誘惑に負けて足を止めれば、一生、暗闇の中から抜け出せはしないのだ。

私は携帯電話を取り出し、芳江の自宅の番号をプッシュした。

放任主義の母親のお節介のせいで、早急に芳江と口裏合わせをしておかなければならないことを忘れていた。

単調に鳴り続けるコール音に続いて、無機質なコンピュータの声が流れる。

携帯電話にもかけてみたが、こちらも留守番電話になったままだった。

私は自転車をUターンさせ、ペダルを漕ぎ始めた。

「ママ、駅と逆だよ」

聡が、私の背中を叩く。

「ちょっと、用事を思い出したから」

十和子達に吐いた嘘。綻びは小さなうちに、繕っておく必要があった。

嘘も吐き通せば、真実になるのだから。


煉瓦造りの瀟洒な建物が目の前に現れた。

芳江の住むマンションは、十和子のマンションほどではないが、それでも庶民には手が届かないような立派な佇いをしていた。

分譲ではないが、家賃は四十万を超えていると恵美達が話しているのを聞いたことがあった。

もっとも、東証一部上場の外資系の保険会社の役員をしている彼女の夫の稼ぎなら、そのくらいの金額はたいした出費ではないのかもしれない。

なに不自由のない生活を送り、お受験ママの間で中心的存在だった芳江が、僅《わず》か千円にも満たない商品を万引きしたことで、きゅうきゅうの暮らしを送り、みなについて行くのがやっとの私に縋っているのだから、人生とはおかしなものだ。

「すぐに戻ってくるから、おとなしく待ってるのよ」

高級車が占拠する駐車場の端に自転車を停め、ふたりの子供に言い聞かせた私はエントランスに足を踏み入れた。

オートロックのパネルの前に立ち、芳江の部屋番号を押し、インタホンを鳴らした。

私には、彼女が居留守を使っているという確信があった。

私と、もうひとりの誰かの電話攻撃により、精神的に追い詰められ、部屋で塞《ふさ》ぎ込む芳江の姿が目に浮かぶようだった。

無理もなかった。

全身全霊を捧げてきた「人生のすべて」が、抽選器を回す一、二秒で決してしまう一次試験まで十日を切ったこの時期は、ただでさえ神経が張り詰め、プレッシャーとストレスに押し潰されて精神を患う者も珍しくはない。

芳江が愚行に及んだのも、迫りくる恐怖と無関係ではないだろう。

ストレスの発散、と表現するにはあまりにも直情的かつ稚拙な手段ではあったが、逆を言えば、その行為が自らが築いてきたものを瞬時に失う危険性があるということさえ判断できないほどに、彼女が平常心を失っていた証《あかし》とも言えた。

ある者は子供の虐待に走り、ある者はノイローゼになる。芳江の場合は、それが万引きという症状になって表れたに過ぎない。

他人事ではない。私も、彼女とは紙一重なのだ。

娘に八つ当たりをし、「仲間」の弱味を摑み無言電話を繰り返す。なにかの弾みで、芳江と同様に……いや、それ以上に道を踏み外す可能性があった。

ぎりぎりの線でとどまっていられるのを、私が彼女よりも理性的だからとか常識人だからと言うつもりはない。

ただ、厳しい外気にさらされてきた花か、ぬくぬくとした温室育ちの花かというだけの話だ。

私を苦しめた幾多の「外気」の中でも、とくに芳江は執拗で、容赦がなかった。正直なところ、彼女の顔をみるだけで躰に異常を来すほどに嫌悪していた。

しかし、十和子にたいしてよりも親近感を覚えていたのも事実だ。

芳江だけではない。あの小憎たらしい恵美をはじめとする「お茶の会」組と若葉英才会の面々もそうだ。

彼女達には、私と同じ負の部分が覗きみえた。弱さや醜さが窺えるぶんだけ、許すことができた。

沈黙を続けるインタホンのチャイムをふたたび鳴らそうとしたときに、宅配便の配達員がエレベータから降りてくるのがみえた。

私はマンションの住人を装い、配達員が内側からガラス扉のロックを解除するのを、なに食わぬ顔で待った。

「どうぞ」

ホテルのドアマンさながらにガラス扉を開けて佇む配達員の前を通り過ぎる私の胸は、優越感に満たされた。

エレベータに乗り、六階のボタンを押す。鏡貼りになった壁や、さりげなく猫脚スタイルのミニソファが置かれているあたりに、芳江の家庭と中西家の生活水準の格差を感じた。

エレベータのドアが開いたとたん、私はすぐに異様な空気を察した。

回廊のそこここで居住者と思《おぼ》しき奥様連中が声を潜めて囁き合い、六〇二号室のドアに視線を集めていた。

さっと見渡しただけでも、十人は超えていた。恐らく、ほかの階の居住者も混ざっているに違いなかった。

彼女達の視線が、六〇二号室に向かう私に移された。

不快感と胸騒ぎに背を押されるように、歩調をはやめた。

「ちょっと、あなた」

六〇二号室のドアチャイムに指を伸ばす私に、誰かが声をかけてくる。

巻き毛の髪が誇らしげな四十絡みの女性が、好奇のいろを宿した瞳で私の全身を舐め回すようにみつめた。

「川名さんの、お知り合いの方？」

「そうですけど」

「お友達？」

「ええ。芳江さんの息子さんとウチの娘が同じ幼児教室に通っているもので……それが、なにか？」

私は、眉をひそめつつ訊ね返した。

初対面の人間にたいし不躾《ぶしつけ》に根掘り葉掘り質問を重ねる彼女に、不愉快な気分が増幅した。

「まだ、知らないのね」

女性が、ひとつ小さなため息を吐き、なにかを躊躇するように眼を伏せた。

「あの……子供を下に待たせているので、あまり時間が……」

「川名さん、首を吊って、救急車で運ばれたの」

私は絶句し、金縛りにあったように固まった。視界が光を失い、暗闇に覆われた。

「息子さんが家の前で泣いているのを、管理人さんが発見したの。管理人さんの話では、もう、手遅れなんじゃないかって。なんでも、部屋に入ったときには既に……」

女性の声が鼓膜から遠のき、入れ替わるようにさっき擦《す》れ違った救急車のサイレンの音が禍々《まがまが》しく蘇った。

13

夫が梅干しの種をしゃぶる音も、焼酎を啜る音も、新聞紙を捲る音も、今夜は気にならなかった。

というより、気にするだけの余裕がなかった。

「ごちそうさま」

私は箸を置き、夫にみられないように、ほとんど手をつけていない茶碗と皿を素早く流し台に運んだ。

「どうしたんだ？」

夫が、一度も利益をもたらしてくれたことのない株価の欄に顔を向けたまま、声をかけてくる。

「なにが？」

勢いよく蛇口を捻《ひね》り、いつもより多めの水で汚れ物を洗いながら平静を装った。

「食欲がないみたいじゃないか」

洗剤塗れのスポンジに、爪を立てた。こめかみが熱を持ち、神経がささくれ立った。

気づいてほしいときにはなにも言わずに、気づいてほしくないときばかり干渉してくる。

鈍感なのか敏感なのかよくわからない男だが、ひとつだけはっきりしているのは、自己中心的ということだった。

「ちょっと、胃の調子がおかしくって」

厳密に言えば、嘘ではない。

つい数時間前に起こった出来事は、胃に穴が開きそうなほどにショッキングなものだった。

――管理人さんの話では、もう、手遅れなんじゃないかって。なんでも、部屋に入ったときには既に……。

あの、巻き毛の女の声が寒々と鼓膜に蘇る。

――のぶ子……嘘でしょう!?　どうして、どうして芳江が……。

今度は、十和子の声。彼女には、芳江のマンションを出た直後に連絡を入れていた。

遅かれ早かれ、すぐに伝わることだ。そのときになって、家を訪ねたことをなぜ黙っていたのかと、妙な疑いをかけられたくなかったのだ。

十和子のあんなに取り乱した声を、これまでに聞いたことがなかった。

それは、私にしても同じだ。まさか、芳江が……。

自殺の動機に、万引き写真の一件と無言電話が無関係だとは思えなかった。

一方で、そんなことくらいで、という思いもある。

たしかに、芳江は追い詰められていた。

あの写真が聖星の関係者の眼に触れたら……と恐怖に囚われる気持ちはわかる。受験にすべてを捧げていた、という気持ちもわかる。

だからといって、命を絶つほどのことなのか？

私が逆の立場なら、やはり芳江と同じように精神的に追い詰められ、絶望の淵を彷徨《さまよ》うに違いない。

だが、生ける屍《しかばね》になり、抜け殻状態になっても、自ら首を吊ったりはしない。

ともかく、芳江は死んだ。確認したわけではないが、巻き毛の女の口振りでは、万にひとつの奇跡も起こらないだろう。

家に帰った私は、ネガを燃やし処分した。流し台から立ち上る黒い煙をみて、躰の震えが止まらなかった。

私が、殺したのだろうか？　私が芳江を……。

「受験のことばかり考えているからだ。もっとほかに、やることがあるだろう。お隣の奥さんをみてみろ。いつも玄関を花で一杯にして、あれなら、疲れて仕事から帰ってきたときに気持ちが安らぐってものだ」

夫の棘を含んだ嫌味が、私を現実に引き戻した。

さっきまで気にならなかった梅干しの種をしゃぶる音が、急に耳障りになった。

「管理人さん、迷惑しているんじゃないかしら。入居するときの契約では、共有スペースに私物を置いたらいけないことになっているのよ」

無理に感情を抑えようとするあまりに、声がうわずり、ところどころで裏返っていた。

花に水をやる暇があるのなら、一問でも多く美涼にカタカナドリルをやらせたかった。

重要なことは、夫の狭量な心の安らぎよりも、娘の学力の向上だ。

それに、私が苦労する半分の責任は自分にあるということを、夫は気づいていないのだろうか？

夫の稼ぎの少なさが、マダムやプチマダムに囲まれている私の肩身をどれほど狭くしているか……ハンデになっているかを、この男はちっともわかっていない。

安らぎが欲しいのは、私のほうだ。

スポンジを強く皿に擦りつけ、さらに蛇口を開いた。水飛沫《みずしぶき》が、そこここをびしょ濡れにした。

「俺が言ってるのは、そういう問題じゃないんだよ。ウチをみろよ。潤いがなくてギスギスして、まるで、お前みたいだ。受験のせいにはできないぞ。北林さんは、いつもきれいにしているじゃないか」

手から滑り落ちた皿が、派手な音を立てて流し台で砕け散った。

「そんなに……」

絞り出すような声で、私は言った。

「ん？　なにか言ったか？」

「そんなに羨ましいなら、十和子と結婚すればいいじゃない！」

今度は、自ら湯呑み茶碗を夫に向けて投げつけた。

湯呑み茶碗は、みかけによらない俊敏な動きで身を躱した夫の耳もとを擦り抜け、背後の壁にぶつかり粉砕した。

芳江にたいする罪の意識、得体の知れない不安、踏み躙《にじ》られた自尊心、夫への怒り……複雑に絡み合ったいくつもの感情が私の理性を奪った。

「な、なにをするんだ⁉　危ないじゃない……」

気色《けしき》ばむ夫の声を、インタホンのチャイムが遮った。

「誰だ、こんな時間に」

夫が逃げるように、玄関へと向かった。

私は気を静めるようにため息を吐き、床に散乱する破片を拾い集めた。

「痛っ……」

指先から、玉のような血が滲み出す。

怪我をすれば赤い血が流れるのは、十和子だって同じ。私と、なにも変わらないのだ。

「おい、のぶ子……」

夫が、蒼白な顔で現れた。

「誰だったの？」

「刑事さんが、お前に話があるそうだ」

「え……」

拾い上げた食器のかけらを、ふたたび落としそうになった。

「自殺した川名さんって人のことでお前に話を訊きたいそうだ。川名さんって、誰なんだ？」

夫の声が鼓膜からフェードアウトした。

警察が芳江のことで、なにを訊きたいというのだ？　私が彼女の万引き現場を盗み撮りしているのを目撃した人間がいて、一一〇番通報をしたというのか？

落ち着いて。そんなことが、あるはずがない。

もしそんな人物がいるならば、もっと前に私の前に現れ、なんらかのアクションを起こしているはずだった。

そうに決まっている。だから、落ち着いて。動揺した顔をしていると、あらぬ疑いをかけられることになる。

自分に言い聞かせるように、心で繰り返した。

私は夫の問いには答えず、腰を上げると台所を出た。

「おい、のぶ子」

高鳴る鼓動……膝が震えた。ぎこちない足取りで、廊下を進んだ。

「夜分遅くに、申し訳ございません。牛込警察署の者ですが、少しばかり、奥様にお訊ねしたいことがありまして」

沓脱ぎ場に佇むふたりのうちのひとり……年嵩《としかさ》の胡麻《ごま》塩《しお》頭の男が、低姿勢に名刺を差し出した。

名刺には、刑事課　課長　穴井《あない》道夫《みちお》　と印刷されていた。

通行証のように警察手帳を出さないこと以外は、ふたりひと組なのも、年配の刑事が穏やかで若いほうが厳しい表情をしているのもテレビドラマの中の刑事と同じだった。

「あの……川名芳江さんの自殺の件ですよね？」

私は、自ら切り出した。

隠しても、あのマンションの野次馬達が、私が芳江の部屋を訪ねたことを知っているので、警察にわかるのは時間の問題だ。

じっさいはどうであれ、端からみれば友人のようなつき合いをしていた女性の死を知っていながら申し出ないのは、悪印象になってしまう。

ここは、正直に告白したほうが賢明だ。

「ほう、ご存じでしたか。ご友人か誰かに、お聞きになったのですか？」

「いえ、今日の昼間、彼女の家を訪ねたのです。そうしたら、マンションの住人の方が教えてくださって……管理人さんが部屋に入ったときには、既に息がなかったと……」

「川名さんは、大量の睡眠薬を服用し意識が朦朧《もうろう》とした状態で首を吊ったそうです。お気持ちを、お察しします。ところで、川名さんとは、なにかお約束でも？」

穴井は、沈痛な顔を作ってはいるものの、隙あらばなにかを探り出そうという意図がみえみえだった。

「芳江さんの……」

お見舞いに、という言葉の続きを私は呑み込んだ。

芳江が風邪を引いているというのは、十和子達にたいしての作り話なのだ。

しかし、厄介なことになった。

きっと、この刑事達は十和子や順子達のもとにも足を運ぶつもりに違いない……いや、もう、誰かの家を訪れたのかもしれない。

彼女達の誰かが私の作り話を刑事に話せば、中城病院に問い合わせられ、川名芳江が来院していないことが判明してしまう。

もっとも、私は、中城病院前の交差点にマスクをかけた芳江がいたとは言ったが、建物に入ったなどとはひと言も口にしていない。しかし、問題は、夫が彼女の姿を目撃したと嘘に嘘を重ねてしまったことだった。

嘘が白日のもとにさらされてしまえば、なぜそんな作り話をしたのかと疑いの眼を向けられることだろう。

勘違いだったと惚けることもできるが、それは、芳江の自殺にまったく身に覚えのない人間の話だ。

だが、夫がなにも訊かれていないことを考えると、彼らはまだそのことを知らないのだろう。

「芳江さんの、お見舞いに行こうかと思いまして」

私は思い直し、呑み込みかけた言葉を改めて口にした。

「お見舞いに？　川名さんは、どこか具合でも悪かったのですか？」

「いえ、詳しいことはよくわからないんですけど、主人から、病院の近くでマスクをした芳江さんをみかけたと聞いたものですから……」

若いほうの刑事は、さっきからひと言も発さずに、黙々と手帳にボールペンを走らせていた。

「ほう、風邪でも引いたのかな」

思案顔になった穴井が、独り言のように呟いた。

どの道、もしものときに備えて夫とは口裏を合わせておかなければならない。

彼の性格を考えると面倒なことになりそうだが、刑事を言いくるめるよりは簡単だ。

「あの、芳江さんは、なぜ自殺なんかを？」

「そのことなんですが、じつは、こんなものが彼女の家に送りつけられましてね」

自分も青天の霹靂《へきれき》だということを印象づけるために投げかけた質問にたいして、穴井がスーツの内ポケットからビニール袋に入った一通の封筒を取り出した。

「正確には、送りつけられたのではなく、誰かが直接ポストに投函したものと思われます」

穴井はハンカチを使い、宛名のない封筒から抜いた便箋を私の顔前に翳してみせた。

視線が、紙面に吸い寄せられる。便箋には、テレビドラマの誘拐犯がよくやるような、切り抜かれたチラシかなにかの活字が貼りつけられていた。

オマエガ　マんビキおンなダトいうコトは　ミンナシッテイル
どろぼウノむすこガ　オジュケンなんテ　ワラわせるな
みんナに　イイふラしテやル　コのマチにスめナイヨうにシテやる
マンびキおんナ　シネ　シね　シネ　シネ　しネ　しね　しね

全身の肌が粟立ち、血の気が引いた。

演技ではなく、声を失った。

「川名さんの部屋から、ほかにも、同様の手紙が二十通あまり発見されました」

「二十通も⁉」

「どれもこれもが、ひどいものばかりです」

穴井が、肉づきのいい頬を怒りに震わせた。

私の顔も、強張っていた。ただし、穴井と違い、犯人にたいしての怒りに打ち震えているわけではなかった。

自分と同じような行為を、ほかの誰かがやっていたのは知っていた。だが、ここまでのことをやるとは思わなかった。

嫌がらせにしては、あまりにも悪質過ぎた。

「川名さんと奥様のお子さんは、国立の幼稚園を受験なさるんですよね？」

「はい。それが、なにか？」

「川名さんは、周囲のお母様方との折り合いはどうでしたか？」

「え？　どういう意味です？」

婉曲《えんきょく》な物言いで、穴井が核心に切り込んでくる。頭の中で、警報ベルが鳴った。

「いや、お気を悪くしないで聞いてほしいんですけど、この手紙を出した犯人は、同じ目的に向かっている人間の……つまり、国立幼稚園を目指しているお母様グループの誰かだと思っているんですよ。奥様を目の前にして言いづらいのですが、いわゆるお受験の世界は、足の引っ張り合いが凄いというじゃないですか？　ですので、失礼を承知の上で、なにかご存じのことはないかとお訊ねしたのです」

私は、逼迫する思考を目まぐるしく回転させた。

この刑事が、どこまでを知っているのか知らないのか、判断をつけ兼ねた。ある程度の情報を摑んでいながら、素知らぬ振りで私を試しているという可能性も十分に考えられた。

「あの、このことは、彼女の名誉のために言うつもりはなかったのですが……三、四週間前に、ある写真が送られてきたのです」

芳江の名誉云々はともかく、写真の一件を、口に出すつもりはなかった。

しかし、私が万引き写真を匿名で送りつけたローズ・フェアリー組か若葉英才会組の誰かが、既に穴井に話しているかもしれないのだ。

「写真、ですか？」

穴井が身を乗り出し、若いほうの刑事がボールペンを走らせる手の動きを止めた。

私は神妙な顔で頷いた。

惚けているのか？　それとも本当に知らないのか？

「ええ。どこかのスーパーで、商品を万引きしているようにみえる彼女の姿が写っている写真です」

「なるほど。やはり、そういうことですか。いや、川名さんのご主人にそれとなく訊ねてみたのですが、家内はそんなことをするような女ではないし、ウチは生活に困ってはいないと、怒られちゃいましてね。あの立派なマンションを拝見したら生活に困っていないのは一目瞭然ですが、だからといって、万引きと無縁かといえばそうでもないんですよね。奥様、万引き犯の大半は、生活苦の人間よりもなに不自由なく暮らしている人間のほうが多いというデータがあるのをご存じですか？」

私は、箸先に絡みつく納豆のように執拗な穴井に辟易《へきえき》とした。

恐らく、この調子でいままで数々の事件を解決してきたに違いない。

「知りませんわ、そんなこと。それに、私も芳江さんのご主人と同意見です。彼女は、万引きするような女性じゃありません」

憤然とした調子で、私は眉尻を吊り上げた。

不意に、自分という女が信じられなくなる。

いつから、罪の意識も感じずに、こんなに堂々と出任せを言えるようになってしまったのだろうか？

「しかし、あなたは、さっき送られてきた万引き現場の写真をみたと言ったじゃないですか？」

初めて口を開いた若いほうの刑事が、咎めるように言った。

「万引きしているようにみえる、と言ったんです」

「あなたね、我々は言葉遊びを……」

「こらこら、安岡《やすおか》、やめんか。奥様、すみませんね。まだ若いので、言葉が足りなくて。つまりですね、私達が知りたいのは川名さんが万引きをしたのかどうかではなく、誰が写真を撮影し、こんなものを送りつけたのかということなんですよ」

執り成すように言うと、穴井が「脅迫文」を指先で弾いた。

「殺人ということですか？」

「いや、事の経緯はどうであれ、川名さんが自ら命を絶ったのは検死官からの報告で間違いありません。因みに、金品を要求した形跡はありませんが、これは立派な脅迫罪です」

「脅迫罪？」

私は、穴井が口にする罪名を鸚鵡返しに訊ねた。

「ええ。たとえるならば、最近問題になっている、いわゆる闇金融の取り立てなどと同じです。家に火をつけるだの職場に乗り込むだの言われたり、誹謗中傷の言葉が並ぶ紙をドアに貼りつけられたり……精神的に追い詰められた債務者の中には、自殺する人も珍しくはありませんからね」

私は瞳に怒りのいろを湛え、頷いてみせた。

内心、激しく動揺していた。ここにきて初めて、私は自分のしでかしたことが大変なことだという事実に気づいた。

「ところで、奥様のもとに送られてきたという写真を、拝見させて頂けませんか?」

「おみせしたいのは山々なんですが、誰かにみられるのもいやですし、破棄してしまって手もとにないのです」

「そうですか。で、写真の件は川名さんには?」

「こんな写真が送られてきたけど、あなた万引きしたの?　って訊くんですか?」

私は、憮然とした表情を穴井に向けた。

不自然だとは思わない。

自殺した友人の万引き云々の質問を延々と繰り返されたら、不快な気分になって当然だ。

ただし、本当の友人ならの話だ。

「ごもっともですな。いや、長居をして申し訳ございません。また、なにかありましたらご協力をお願いに参りますので」

慇懃《いんぎん》に頭を下げた穴井が、若いほうの刑事を促すように外へと出た。

躰中から、どっと力が抜けた。いまになって、足が震え、動悸が激しくなった。

その場に座り込みたい誘惑に抗《あらが》い、茶の間へと走った。細く開いたドア。どうやら、すべてを聞かれていたようだ。

構わなかった。どの道、打ち明けなければいけないことなのだから、説明する手間が省けるというものだ。

「おい、どういうことなんだ？　俺が中城病院の……」

「あなたは、中城病院の前で芳江をみた。彼女はマスクをつけていて、咳をしていた。いい？　芳江の身長は私より少し高くて、細身で、髪の毛は肩のあたりまでの長さで……そうね、眼は一重瞼なんだけど凄く大きいのよ」

私は夫を遮り、身振り手振りで説明した。

「お前……なにを言ってるんだ？　だいたい俺は、その芳江とかいう女を知らないんだぞ？」

「あなたこそ、なに言ってるのよ。去年、十和子達と一緒に公園で撮った写真をみせたじゃない？」

「そんなもの、覚えているわけないだろう。のぶ子……お前、本当に、どうかしているぞ」

夫が、薄気味の悪い生き物をみるような眼を私に向けた。

「とにかく、あなたは芳江を知っている。中城病院の前でマスクをつけて咳をしている彼女をみた。身長は私より少し高くて……」

「いい加減にしないかっ」

同じ言葉を繰り返し念を押す私に、夫は怒声を上げた。

不意に、ある情景が脳裏に浮かんだ。

幼き少女の小さな掌を包んでいた母の柔らかく温かな手が突然に離された。

少女は不安になり、母の顔を見上げた。母の横顔は強張り、眼を合わせようとせず、急ぎ足で歩き出した。

みるみる遠ざかる背中を、少女は懸命に追った。通りの向こう側から、少女と同い年くらいの娘を連れた女性が現れ、母の名を呼んだ。

少女は、娘のかわいらしい花柄のワンピースと髪につけられた赤いリボンを羨ましく思った。

母は、その女性から逃げるように駆け出した。

ママっ、待って、ママっ、ママっ、待って。

少女は母の名を叫びながら走った。女性に手を引かれた娘が、無邪気な笑顔で少女をみた。

見失った母の背中を探し回る少女の瞳からは、大粒の涙が零れ落ちた。

鼻の奥が熱くなり、嗚咽《おえつ》が唇を割って零れ出た。張り詰めていた糸が、ふっつりと切れた。

夫に背を向け、記憶の中の少女と同じように顔を掌で覆いその場に泣き崩れた。

演技ではなかった。

ここで妻を気遣う言葉のひとつでもかけてくれるなら、どれだけ救われることか。

本心からでなくてもいい。受験に反対でも子育てに無関心でもいい。

少しでいいから養分を与えてくれたら、いままで以上に頑張ることができる。

生まれてから、ずっとそうだった。来客の眼に触れぬよう、裏庭の片隅に置かれた植木鉢を気にかけてくれる人は誰もいなかった。

背後から、深いため息が聞こえてくる。

期待した私が馬鹿だった。この男の頭の中には、自分の保身と世間体しかないのだ。

「泣いてちゃわからないだろう。おい、のぶ子……」

「私に、殺人の容疑がかかってもいいの!?」

肩に触れる夫の手を払い除《の》け、私は振り返った。

「殺人の容疑!? ど、どういうことなんだ……？」

「私ね、スーパー『丸大』で芳江が万引きしているところを目撃したの。それで、現場を写真に撮ったのよ」

「なんだって……」

夫の顔から、みるみる血の気が引いてゆく。

「その写真を焼き増しして、お受験ママ達に送りつけたの。まだあるわ。夜中に、何度も彼女の家に無言電話をかけた。毎日、毎日ね。芳江は、私がやっていることとも知らずに、青《あお》褪《ざ》めた顔で相談してきたわ。いつもは、口を開けば嫌味や皮肉ばかりを言っていたくせに、彼女、私のことを救世主みたいな顔でみちゃって、おかしいったらなかったわ」

「本当に、そんなことをしていたのか……？」

「あたりまえじゃない。ひとり脱落するってことは、そのぶん美涼が合格する確率が高くなるってことなのよ。こんなチャンスを、逃すはずないじゃない」

「のぶ子……お前、人がひとり死んでいるんだぞ？　よくそんなことが言えるな。良心が痛まないのか？」

「だって、私が殺したんじゃないもの。たしかに、万引き写真を撮ったのも、無言電話をかけたのも私よ。でも、彼女は自分で首を吊ったのよ。自分で、命を絶ったの。どうして、私が罪の意識を感じなければいけないのよっ」

叫んだ。夫にではなく、自分に向かって……。

芳江は死んだ。弘が、受験を続けることはありえない。夫に言ったとおりに、名門幼稚園の貴重な椅子がひとつ空いた。

彼女が自殺をする以外は、すべてが順調に運んだ。

なのに、私の心が満たされることはなかった。

芳江にたいしての罪悪感よりも、自分にたいしての嫌悪感を強く覚えた。

いったい、私はなにをしているのだろう？　いや、なにをしているのかはわかっていた。

美涼を聖星に入れるため……その目的を達成するためなら、人から後ろ指を指されようとも、白い眼でみられようとも構わなかった。

本当に、それで満足なの？　それがあなたの人生なの？

もうひとりの自分が、問いかけてくる。

あたりまえよ。そのために、女であること、妻であること、母であることを捨ててきた。

いまさら立ち止まっても、戻るべき道も帰るべき家もないのだ。

考えるのをやめた。いま最優先しなければならないのは、今回の一件で私がつけた足跡を消すことだ。

「なにをやってる!?」

パソコンのコンセントを引き抜き、モニターを抱え上げようとする私に、夫が血相を変えた。

「写真を送ったときに、このパソコンを使って宛先を書いたのよ。警察が調べる前に、処分しておかなきゃ」

歯を食いしばり、モニターをテーブルから絨毯《じゅうたん》へと下ろした拍子に重みで尻餅をついた。

「馬鹿なことを言うな。そのパソコンには、顧客の大事なデータが入ってるんだぞ」

「妻が警察に捕まったら、あなただって、会社をクビになるのよっ」

絶句する夫に背を向け、私は押し入れからパソコンの入っていた段ボール箱を引き摺り出した。

「ほら、なにやってるのよ。あなたも手伝ってちょうだい」

「どうして俺が……」

ぶつぶつと文句を言いながらも、夫はパソコンを抱え上げ、段ボール箱に詰めた。

もちろん、妻のためを思ってそうしているのではない。会社のため、世間体のため……すべては、自分のためだった。

「のぶ子。お前のやったことは、本当にそれだけなのか？」

夫が額に浮く汗を腕で拭いながら、懐疑のいろを宿した瞳を向けてきた。

「あの、脅迫文のことを言ってるの？」

夫が頷いた。

やはり、夫は私と刑事のやり取りの一部始終に聞き耳を立てていたのだった。

「私が、そんなことをするわけないじゃない」

「だって、お前は、川名さんの万引きの現場が写っている写真を何人もの知り合いに送りつけたんだろう？」

「私の言うことが、信じ……」

電話のベルに、心臓が止まりそうになった。

夫が災いに巻き込まれたくないとばかりに眼を逸らし、煙草に火をつけた。

私は、仕方なしにコードレスホンを手に取った。

「はい。中西……」

『のぶ子？　刑事さん、まだいる？』

十和子の逼迫した声が、受話口から流れてくる。

「ううん。もう、帰ったわ」

『そう。悪いけど、いまから私の家にきてくれる？　ほかのみんなは、もう集まってるから』

「え……どうして？」

私は、無意識に、訝しむ声で訊ね返していた。

みなが、十和子の家に集まっているということが引っかかったのだ。

『どうしてって……芳江が、あんなことになったのよ？』

止めていた息を、小刻みに吐き出した。

どうやら、私を吊し上げる気ではないようだ。

それはそうだ。吊し上げるもなにも、私のやったことを十和子達が知るはずはないし、なにより、芳江を真の意味で追い詰めた人間は別にいるのだ。

「ああ……ごめんなさい。そうだったわね。私も、突然のことに、頭が混乱しちゃって。二、三十分で行けると思う」

『わかった。じゃあ、待ってるから』

「誰からだ？」

夫が、私が電話を切るのを待ち構えていたように即座に訊ねてくる。

「十和子よ。それより、ちょっと出かけてくるから、廃品回収の業者を呼んで、すぐにパソコンを処分してちょうだい」

なにかを言いかけた夫に背を向け、私は茶の間をあとにした。

14

「どうも、お待ちしておりました。お上がりください」

人のよさそうな顔をした五十代後半と思しき女性が、私を奥の部屋へと促した。

彼女は、こずえを聖星に受験させると決めたときに雇われた北林家の家政婦だった。

少しも、羨ましくはなかった。

お金に余裕があったとしても、私が家政婦を雇うことはないだろう。

たしかに、家政婦がいればなにかと便利ではあるが、他人の手を借りようとは思わない。

どんなに忙しくても、家のことや子供のことは自分自身でやるのが、母親の務めではないのか？

奥様と呼ばれることに優越感を覚える人種もいるのかもしれないが、私は違う。

中西家の倍の幅はありそうな廊下を歩いていると、鼻孔にポプリの心地好い匂いが忍び込んでくる。

家政婦の背中に続きながら、周囲にそっと視線を巡らせた。

広大な玄関ホールから廊下にかけて、高価そうな絵画や西洋人形がセンスよく飾られていた。

玄関マットひとつ、スリッパひとつを取っても、上品なブランド物で揃えているあたりが十和子らしかった。

「奥様。中西様がおみえになりました」

リビングのドアの前で歩を止めた家政婦がドアをノックし、恭《うやうや》しい物言いで声をかけた。

「入って」

ドアが開き現れた十和子が、人を呼びつけておきながら当然のような顔で私を部屋《なか》へと促した。

ソファに座る先客の顔触れをみて、彼女に感じた不満が一瞬にして吹き飛んだ。

十和子の言っていた、みんな集まっている、の「みんな」とは、ローズ・フェアリー組と若葉英才会組の五人のことだったのだ。

私は、そのどちらかだけだと思っていた。

というのも、私と十和子は双方の者達と顔見知りだが、順子、真理子、恵美の三人と、静子、ゆり子のふたりは今夜が初対面のはずだった。

考えてみれば、今夜の「主役」である芳江も、私と十和子同様に双方とつき合いがあった。

異色の顔触れが寄り集まる理由は納得できたが、問題は、なにを話し合うために誰が招集をかけたのかということだった。

「適当に座って」

十和子はにこりともせずにソファに手を投げ、紅茶をお願い、と家政婦にぞんざいな口調で言った。

眉間に深い縦皺を刻み、腕組みをし、右足の爪先でせわしなく床を踏んでいる。

彼女がここまでいらついた仕草を露骨にみせたことは、いままでにあまりないことだった。

「さて、これでみんな揃ったわね。早速だけど、のぶ子。あなた、芳江がスーパーで万引きしていたことを知っていたの？」

「え……」

瞬間、シラを切ろうとしたが思い直した。

刑事にそのことを認めた以上、ここで惚けるわけにはいかない。

「誰から訊いたの？」

「質問しているのは私よ。答えて」

私は、穴井にしたのと同じ説明をみなに繰り返した。

「どうして、そんな大事なことを黙っていたのよ。みんなも、どうして、私にだけ教えてくれないの？」

十和子が、周囲を見渡し、咎める口調で言った。

「誰が知ってて誰が知らないなんてわからないんだから、あなただけに黙っていたわけじゃないの」

十和子が緊急招集をかけた理由がわかった。

自分だけが秘密を知らされていないことに、腹を立てているのだ。

これまでの人生で疎外された経験などないだろう十和子にとっては、堪え難い屈辱に違いない。

疎外感が強まれば、十和子は躍起になり、みなを問い詰める。躍起になればなるほどに、みなとの距離はどんどん開いてゆく。

悪循環というやつだ。

芳江と同じ、いや、それ以上に逆境にたいして免疫のない十和子は取り乱し、うろたえ、そのうち、みなからの信望を失うことになるだろう。

流れは自分に向き、風は追い風になった。

「でも、のぶ子さんは知っていたんじゃないの？」

ゆり子の意味深な言い回しに、冷水を浴びせかけられたような気分になった。

「どういう意味？」

私は、内心の動揺を押し隠し、運ばれてきたばかりの紅茶に手を伸ばした。

この女は、私を疑っている。落ち着くのよ。たとえそうだとしても、証拠など、なにもないのだから。

ゆり子は、まだ二十代の小娘のくせに、日頃から私を馬鹿にしたような態度ばかりを取っている。

今回も、嫌がらせのつもりで思いつきを口にしているに違いなかった。

「あの写真の日付が入っていた日、私、『丸大』の前の自転車置き場で美涼ちゃんが待っているのをみたのよ。のぶ子さん、その日、芳江さんと会ったんじゃないの？」

十二の瞳が、一斉に私に注がれた。

「その日に『丸大』に行ったかどうかは覚えていないけど、スーパーで芳江さんに会ったことはないわ」

まさか、美涼がみられているとは思わなかった。

紅茶がティーカップの中で波打った。私はカップをソーサへと戻し、震える指先をテーブルの下で握り締めた。

「会ったことはなくても、みたことはあるんじゃないの？」

下品なほど大きな乳房を強調するように腕組みをしたゆり子が、底意地悪く唇の端を吊り上げて窺うような視線を向けてきた。

彼女の意図がようやく摑めた。ゆり子は、私を潰しにかかっている。芳江が死んだことで空いた聖星の椅子を、もうひとつ増やそうとしているのだ。

「ゆり子さん。あなた、あの写真を撮ったのが私だと言いたいの？」

私は、憤懣《ふんまん》やるかたないといった口調で言った。

「でも、芳江さんが万引きをした日に、『丸大』に行ったのよね？」

ゆり子からバトンを受け取った静子が念を押してくる。

「ゆり子さんが美涼をみたというのなら、行ったんだと思うわ。でも、『丸大』には、その日だけじゃなくて毎日のように行ってるし、さっきも言ったけど、芳江さんに会ったこともみかけたこともないし……どうして、私ばかりを疑うの？『丸大』なら、みんなだって行ったことくらいあるでしょう？」

「じゃあ、私達に黙っていたのはなぜ？」

今度は、ローズ・フェアリー組……順子がバトンを受け取った。

「写真の日付の翌々日に、最初に恵美ちゃんから電話があって、それで、慌ててポストを覗いてみたら宛名だけの封筒が入っていて、中身をみてびっくりしたの。私が真理子さんに電話をしようとしたら彼女からかかってきて、同じ説明を受けて……つまり、私が言いたいのは、写真を受け取っていたなら、普通、びっくりして誰かに電話の一本でも入れるものでしょう？」

「あなた達は普段から連絡を取り合っている仲だけど、私は違う。そんな写真がきたからって、いきなり、電話なんてかけられないわ」

「だったら、十和子にかければいいじゃない。のぶ子さん、十和子とは幼馴染みなんでしょう？　私達より、気心の知れ合った仲じゃない？　どうして、かけなかったの？」

真理子が悪意などこれっぽっちもないというような顔で、私を質問攻めにした。

彼女達は、どうあっても、芳江の自殺の原因を私のせいにしたいようだった。

少しばかり、勘違いをしていた。この吊し上げは、ひとりでも多くの競争相手を蹴落とすのが理由だと思っていた。

もちろん、それもあるだろう。しかし、それだけではない。

身代わり。そう、芳江に脅迫文を送りつけた誰かが、己に火の粉が降り懸かるのを恐れ、巧妙にみなを操り、私を生《い》け贄《にえ》にすることで捜査の手から逃れようとしているのだった。

恵美、順子、真理子、ゆり子、静子。

私を貶《おとし》めようとしている人間が、この五人の中にきっといる。

それが誰であっても、負けるわけにはいかない。

いままでがそうであったように、踏み躙られても、放置されても、必ず私は、鮮やかな花を咲かせてみせる。

「芳江さんのことを考えたからよ。あの写真だけでは、本当に万引きしたのかどうかなんてわからないし……」

「まあ、のぶ子さんったら、いつから、そんなに芳江さん思いになったの？」

恵美が零れ落ちそうな大きな眼を見開き、皮肉を投げてくる。おちょぼ口で首を傾げるその仕草が憎らしい。

「恵美ちゃん。やめなさい。みんなもよ。まるで、のぶ子が芳江を脅迫していたみたいじゃない。本人が違うと言ってるんだから、信じましょうよ。のぶ子は、昔から人づき合いが苦手で、あなた達みたいになにかあったらすぐに情報交換するようなタイプじゃないの」

十和子に窘められた恵美が悪戯をみつかった子供のように首を竦め、ほかの四人も急にしおらしくなる。

皮下を駆け巡る血液が沸騰したように全身が熱くなり、指先が震えた。

ソーサの上で、ティーカップがカタカタと耳障りな音を立てていた。

「わかったふうなことを言わないでちょうだいっ。あなたに、私のなにがわかるっていうのよ！」

私は金切り声を張り上げ、席を蹴った。みなが、唖然とした表情で息を呑んだ。

「のぶ子……いったい、どうしたっていうのよ？　なんだか、あなたらしくないわ」

十和子が狐に摘まれたような顔になるのも無理はない。せっかく庇ってあげた相手に、牙を剝かれたのだから。

「悪いけど、もう帰るわ」

呆気に取られるみなを置き残し、私はリビングをあとにした。

数日後……聖星の一次試験の日には、美涼という美しき花びらが開くはず。

そうなれば、誰に気遣うこともなく、陽の当たる道を堂々と歩くことができる。

これまで私を見下していた眼は羨望の視線に変わり、嘲り笑っていた者は愛想笑いを浮かべて擦り寄ってくる。

十和子という太陽の「陰」で送る生活は、もうすぐ終わりだ。試験の結果次第では、私が彼女に光を分け与える立場になっているかもしれないのだ。

「それが、答えよ」

私は、ドアの向こう側の十和子に、さっきの質問の答えを返した。

15

ついに、この日がきました。私なりに、でき得るかぎりのことはやってきたつもりです。しかし、一次試験は努力や実力に関係なく、運がすべての抽選器によって合否が決まります。

親の欲目ではなく、美涼はよく頑張りました。もし、この世に神や仏が存在するのなら、いいえ、存在しなくても、彼女の努力は報われるべきです。

覚えてますか？　あなたは、私を日陰へと追いやり、陽の当たる場所へと出してはくれませんでした。


「ママ……もういい？　足が痛いよ」

茶の間。幼い頃、周囲に誰もいないときだけにみせてくれた笑顔で写る母の遺影の前で、美涼がお尻をもぞもぞと動かした。

「待って。今日は、大切な日だから、お祖母《ばあ》ちゃんにしっかりとお願い事をしておかなければならないの」

私は、眉尻を吊り上げるでも声を荒らげるでもなく、娘に優しく言い聞かせた。

せめて今日だけは、気持ちよく家を出たかった。負のエネルギーを発散し、運気を悪くすることだけは避けたかった。

「ガラガラポンが当たるように、おばあちゃんにお願いするの？」

「そうよ。白い玉を出すために、お祖母ちゃんにも手伝ってもらわなければならないのよ」

「おばあちゃん、死んじゃってるのに、ガラガラポンができるの？」

無邪気過ぎる質問。いつもはその幼さに焦りを覚え、神経を逆撫でされるところだったが、いまは素直に、娘の純粋さをかわいらしいと思えた。

「お祖母ちゃんはできないけど、ママと美涼に力を貸してくれるのよ」

「ふーん。おばあちゃんって、優しい人なんだ」

瞬間、微かに頬が強張った。

優しい人……。

たしかに、母は優しい女性だと言われていた。面倒見がよく、こまやかな気配りができる人だった。

しかし、それは、吉田文子《ふみこ》という女性の表層的な部分であり、内面には、複雑なものを抱えていた。

「そうよ。だから、白い玉が出るように、美涼も一生懸命にお祖母ちゃんにお願いしてね」

「うん。おばあちゃんに、一杯、一杯、お願い事する」

私に頭を撫でられた美涼は、頰を上気させて声を弾ませた。

それから小さな掌を顔の前で合わせ、きつく眼を閉じ、なにかを一生懸命に呟いている。

叱られたときに、耳朶を赤らめ黙り込む美涼とは別人のようだった。

私は、母の遺影に顔を戻した。


子供を産むまでは、あなたのことを恨んでいました。でも、母親となってみて、初めて、なぜあなたが私にあんな仕打ちをしたのかがわかりました。

私の顔つき、仕草をみるたびに、あなたは遠い日の自分をみているようで、さぞ、苦しかったことでしょう。

私もそうです。美涼に幼い頃の自分を重ね合わせ、いら立ち、惨《みじ》めな気分になり、ついつい、きつく叱ったり、ときには、手を上げたこともありました。

女という生き物は、男への未練は断ち切れても、自分への未練は断ち切れないのはなぜでしょうね。

十年前に、身を焼き尽くすような大恋愛をした男性のことはすっかり忘れているのに、三十年前の自分のことは昨日のことのように覚えています。

子供が……とくに同性の子供ができると、よけいに、忘れられなくなるのですね。

でも、私はあなたとは違います。

自分のいやな部分をみているようでつらく当たることはあるけど、美涼を日陰に追いやったりはしません。私自身も、こそこそと逃げ回るような生活はしません。

陽当たりのいい場所で、立派な花を咲かせてみせます。

だから、お願いします。力を貸してください。

あなたが、ほんの少しでも我が娘にたいして贖罪《しょくざい》するお気持ちがあるのなら……。

重ね合わせた掌に額を当て、深く、祈った。

神や仏はいなくても、あの人はいる。胸奥に刻まれた傷が、それを教えてくれた。

「さあ、行くわよ」

私は、美涼の手を引き立ち上がった。

聡の送り迎えは、無理を言って会社を休んで貰った……というより、休ませ、夫に任せた。

今日だけは、僅か一パーセントのエネルギーも、抽選以外のことに使いたくはなかった。

足を止め、振り返った。

美涼が聖星の入園試験に合格したならば……あなたのことを、許します。

私は、母の遺影を冥《くら》い眼でみつめた。

16

体育館の中は、晩秋だというのに五百人を超える保護者達の熱気で溢れ返り、ブラウスの中が汗ばむほどだった。

本年度の、国立聖星女子大学付属幼稚園の一次試験の三年保育の受験者の総数は五百六十八人であり、二次試験の切符を手にできる者はその中で七十人しかいない。

つまり、七十人が狂喜乱舞する陰で、四百九十八人が泣いているという計算だ。

抽選器によるこの一次試験は、明暗がひと目でわかるが故に、面接や筆記試験などよりある意味残酷だった。

白玉を引いた合格者は、ひな壇の端に設置してあるテーブルで意気揚々と二次試験の案内書を受け取り、赤玉を引いた不合格者は肩を落として階段を下りる。

――体育館を出るまでが地獄でね。私は、子供と抱き合い案内書を受け取る母親をみて、生まれて初めて人を殺したいと思ったわ。

数年前に息子が不合格になった母親から、偶然に話を聞く機会があったのだが、私には、彼女の気持ちがよくわかる。

もし、赤玉を引いた私の横で十和子が案内書受付のテーブルの前に並んでいたりしようものなら……考えただけで、躰の内側が竈《かまど》の中のように熱くなった。

美涼の顔写真が添付してある整理券に視線を落とす。

２６２番。ほぼ、真ん中の順番だった。

よくを言えば、もっとあとの数字のほうがよかったが、贅沢は言っていられない。

軽い白玉が出る確率の低い１００番までの整理券を手にした運の悪い者もいるのだ。

私は首を巡らせ、十和子の姿を探した。

――わかったふうなことを言わないでちょうだいっ。あなたに、私のなにがわかるっていうのよ！

あの日以来、十和子とは疎遠になっていた。彼女だけではなく、ローズ・フェアリー組や若葉英才会組とも顔を合わせていなかった。

もう、彼女達の顔色を窺う必要もない。十和子達だけにかぎらず、この体育館にいる者達はすべてが敵だ。

「ねえねえ、ママ。あの人、お腹が痛いの？」

美涼が指差す壇上では、赤玉を引いたのだろう母親が顔面蒼白で足を引き摺るように階段を下りていた。

無理はない。赤玉が視界に入った瞬間に、これまでの気の遠くなるような努力が水泡に帰してしまうのだから。

「そうじゃないの。あの人はね、幼稚園に入れなかったのよ」

「ふーん。だから、がっかりしてるんだ。ねえ、ママも美涼が幼稚園に入れなかったらがっかりする？」

美涼が、無邪気に訊ねてくるもしもの話に、神経が過敏に反応した。

がっかりするどころではない。数々の屈辱も、辱めも、耐えてきたのは聖星に入園できると信じていたからだ。

もし、もしも美涼が不合格になったら……。

頭を過《よ》ぎっただけで、眩暈《めまい》に襲われた。

「大丈夫。美涼が聖星に入れないなんてことは絶対にないから。さっき、お祖母ちゃんにお願いしたでしょう？」

美涼に、というよりも、自分に言い聞かせた。

ひとり、うなだれて壇上から下りる母親が増えるたびに、館内に安堵のため息が漏れ聞こえてきた。

みな、ほかの母親が抽選器のハンドルを握るたびに、食い入るようにみつめ、外れろ、外れろ、という念を送っている。

それはそうだ。赤玉が出れば出るほど、自分の番になったときに、白玉の出る確率が高くなるのだから。

「美涼が、ガラガラポンやってもいい？」

「だめよっ……あ、ごめん。これはね、お遊びじゃないから、子供がやっちゃだめなのよ」

思わず吊り上がった目尻を下げ、私は取り繕うように優しい声音で言った。

視線が、壇上に釘づけになった。いま、抽選器の前に立っているのはゆり子だった。

爪先立ちになり、ゆり子の手もとを凝視した。

まるで、自分のことのように鼓動が高鳴った。太腿の横に当てていた手が、スカートを握り締めた。

ゆり子の右手が回った。私は、弾かれたように受け皿に顔を向けた。転がる赤玉をみて、心で歓喜の声を上げた。

呆然と立ち尽くすゆり子の背中が、震えていた。私は、恍惚に震えていた。

あの小生意気なゆり子が、泣き出しそうな顔で階段を下りた。

気味がよかった。できるものなら、彼女の前に歩み寄り、嘲笑《あざわら》ってやりたかった。

赤玉が三、四十個出るうちに白玉が一個出るという具合に、抽選は進んだ。

これでかなり、赤玉が減ったはずだ。これからは、白玉が出る確率が飛躍的に高くなるに違いなかった。

次第に、列が短くなってゆく。一歩、ひな壇に近づくたびに、足が竦んでゆく。

ついに、前に並んでいる人数が十人を切った。赤玉を引いた母親の呻《うめ》き声が生々しく鼓膜に流れ込んでくる。

もう、不合格になった人間を嘲る余裕はない。

あと数分後には、天国と地獄……ふたつのうちのどちらかの扉が目の前で開かれるのだ。

「ママもお腹痛いの？」

美涼が手を引き、心配そうに言った。相当、ひどい顔をしているのだろう。

「大丈夫よ。さ、それより、心の中で、お祖母ちゃんにお祈りして。ママもお祈りするから」

美涼に言ったとおりに、私は眼を閉じ、白玉が出るよう母に祈った。

藁にも縋る思いとは、このことだ。いまの私は、怪しげな宗教にさえ縋りたい気分だった。

眼を開けた。列が動いた。私まで五人になり、壇上へと上がった。心拍が跳ね、足が震えた。

抽選器が回されるたび鳴る玉の音に、鼓動が高鳴った。掌に握り締めた整理券が汗でふやけた。

できるものなら、このまま時間《とき》が止まればいい、と私は思った。

そうすれば、まだ、夢を見続けていられる。

有名国立大学付属幼稚園の園児になれるという夢を。

五人のうちの四人が続けて赤玉を引いた。つい数分前までとは違い、ほかの人間が不合格になるたびに不安に襲われた。

いけない、いけないと思いながらも、どうしても思考がマイナスに傾いていた。

「なっちゃん、やったわよ！」

目の前の女性が大声を上げ、娘を抱き締めた。視線が、受け皿に転がる白玉に吸い寄せられた。

頭の中が、真っ白に染まった。白玉が、二度続けて出るとは思えなかった。

よりによって、私の前で……。

狂喜乱舞する女性を、呆然とした瞳でみつめた。津波のような負の想念に、立っているのが精一杯だった。

「はい、次の方。整理券をお出しください」

受付の男性が、事務的な口調で言った。

銀縁眼鏡の奥の冷たい眼が、鼓動の高鳴りに拍車をかけた。

「お母様、整理券をお出しください」

機械的な声が、私を急き立てる。

「あ、はい……すみません」

油の切れたロボットのようにぎこちない動きで整理券を男性に渡した私は、抽選器の前に立った。

いよいよ、この瞬間がやってきた。

長くて短いような……遠くて近いような道程だった。

周囲の人間が闇に溶け込み、抽選器だけがスポットライトを浴びたように浮かんでいた。

私は、深呼吸を繰り返し、精神を統一した。一切のマイナスの想念を頭から追い払い、意識を研ぎ澄ました。

不治の病にかかってもいい。災難に見舞われてもいい。だから、美涼を合格させてください。

私は、いるはずのない神へ祈りを捧げた。白玉を出してくれるというのなら、悪魔の差し出す手にだって縋りたかった。

「お母様。あとの人が待っているので……」

「黙ってて！」

私の一喝に、空気が凍てつくのを肌で感じた。

もし、生涯において、幸福と不幸の分量が定まっているのならば、私には、手つかずの「幸福」が残っているはずです。

ほんの少しだけでいいのです。その「幸福」を、この場で使わせてください。

ゆっくりと、視線を抽選器に向けた。頭の中を無にし、ハンドルを回した。

受け皿に転がる白玉……。

瞬間、時間《とき》が止まった。私は、目の錯覚ではないかと思い、瞼《まぶた》を擦り、もう一度受け皿に視線をやった。

錯覚でも幻覚でもなく、私の視線の先に転がるのは、たしかに白い玉だった。

「合格、おめでとうございます。あちらのテーブルで、二次試験の案内書をお受け取りください」

男性の平板な声音でそう告げられ、私はようやく、自分の身になにが起こったのかを悟った。

全身の皮膚が粟立ち、膝がガクガクと震えた。周囲の保護者達のざわめきが耳の中でうねった。

合格した……美涼が、私の分身が、あの憧れの国立聖星女子大学付属幼稚園の一次試験に合格した。

夢をみているようだった。娘は一次試験に絶対に合格する。そう自分に言い聞かせていたものの、じっさいに合格してみると、信じられない気持ちで一杯だった。

モスグリーンの制服に赤いリボンをつけた美涼。美涼の手を引き近所の母親達の憧憬と嫉妬の視線を一身に受けながら聖星の門を潜る自分……これまで、何回も、いや、何十回も思い浮かべた空想が現実のものとなりつつあった。

「ママ、どうしたの？」

美涼の声に、私は我に返った。

「美涼……合格したのよ。あなたは、一次試験に合格したのよっ」

私は、あたかも聖星に入園できたとでもいうように、娘を抱き寄せ、髪の毛がくちゃくちゃになるほどに頭を撫でた。

そう、美涼はまだ、聖星に入園したわけではないのだ。

しかし、悲観することはない。努力が正当に評価される二次試験は、運がすべての一次試験よりも余裕をもって挑めるというものだ。

抽選器で白玉を引くことこそが、最大の難関だったのだ。

「お母様、後ろの方が待っていますので」

「あ、ごめんなさい。すいませんね。さ、行きましょう」

私は、受付の男性と背後の女性ににこやかな笑顔で言うと、美涼を促し前へ進んだ。

いまの私には、男性の冷ややかな眼も背後の女性の剣呑な視線も気にはならなかった。

「ねえ、明日からここの幼稚園に通えるの？」

「まだよ。あともうひとつ、試験があるのよ。それに合格したら、通えるようになるの。あ、そうそう、お昼は、美涼が大好きなハンバーグを食べに行こうか？」

「チョコレートパフェもある？」

「もちろん。じゃあ、はやく、お手紙を貰って食べに行こうね」

こんなにも優しく物わかりのいい母親になったのは……ちょっと、記憶になかった。
「このたびは、一次試験合格おめでとうございます。こちらに、ご署名をお願いします」
私は、軽やかな手つきで女性職員の指差す署名欄にボールペンを走らせた。
「はい。どうぞ」
国立聖星女子大学付属幼稚園二次試験案内書、と書かれた若草色の書類封筒を受け取った私は、意気揚々と階段を下りた。

あの人、中西さんじゃない？

ほら、のぶ子さんよ。

二次試験の案内書を持っているわよ。

ウチの子がだめで、どうしてあんな人の娘が合格するのよっ。

抽選って、理不尽よね。

妬《ねた》み、嫉《そね》み、僻《ひが》みの声が、小蝿のように執拗に纏わりつく。

私は、敵愾心が渦巻く人込みを、優越感に満たされながら悠々と歩いた。

なにを言われても、構わなかった。

しょせんは、敗北者の負け惜しみ。負け犬の遠吠えなど、気にはならなかった。

我慢してきた甲斐があった。

私を小馬鹿にし、嘲り、笑い者にしていた連中を、今度は逆に見下してやるつもりだった。

「ちょっと、待ちなさいよ」

不意に、肩を摑まれた。背後を振り返った私の瞳に映る、般若の如きゆり子の形相。

「あら、どうしたの？」

「どうしたのじゃないわよっ。まぐれで合格したくせに、なにをいい気になっているわけ!?」

ゆり子が目尻を吊り上げ、物凄い剣幕で食ってかかってくる。

「別に、いい気になんかなっていないわ」

「ほら、その言いかたがいい気になってるっていうのよっ」

異変を感じ取った周囲の母親達が、あっという間に人垣を作った。

「向こうで遊んでて。ママもすぐに行くから」

私は、美涼に出入り口で待っているように命じた。

「ゆり子さん。気持ちはわかるけど、こういう話は子供の前であまり相応しくないんじゃないのかしら」

私は、不安そうな顔で彼女の手を握る少女……園美に視線を投げて言った。

「気持ちがわかるですって!? あなた、ウチが不合格になったからって馬鹿にしてるわけ？ たまたま運がよくて合格したくらいで、何様のつもりよ！」

試験会場にくるために上品なベージュ色のスーツで決めてはいるものの、その口調も顔つきも、公園で乳房を強調した露出度の高い服装を好んで着ているときのゆり子同様に下品なものだった。

「そうね。運がよかったんだと思うわ。でも、運も実力のうちだと言うじゃない？ じゃあ、これから美涼とお昼を食べに行くから、これで失礼するわね」

眼を剥く年下の小生意気な娘に勝ち誇ったような微笑みを残し、私は歩を踏み出した。

ただし、足が向く先は、美涼の待つ出入り口ではなく、人込みに溢れる体育館の中だった。

私は、首を巡らせ、目的の人物の姿を探した。

ゆり子など、どうだってよかった。気になるのは、彼女がどうなったかだ。

こずえちゃんなら、聖星じゃなくても私立の有名どころでも狙えるわよ。

ゆり子さんにも言われたけど、まぐれよ。抽選なんて、その子の能力とはなんの関係もないんだから。

あなたなら聖星に相応しいだろうけど、私、自信がないわ。

私は、彼女との会話をシミュレーションした。

どれもこれも、遜《へりくだ》り、彼女を持ち上げるようなセリフばかりだったが、構わなかった。

赤玉を引いた者からすれば、白玉を引いた者から遜られるほどに、屈辱は強くなるはずなのだ。

はやく、その気分を味わわせたかった。

蒼白な顔で俯く者、頰を上気させ舞い上がる者、歓喜に声を裏返し喋りまくる者、怒りに肩を震わせる者、放心状態で立ち尽くす者……たかが抽選器の玉の色がそれぞれの人間を天国へ、あるいは地獄へと導いた。

彼女の姿は、どこにも見当たらなかった。

失意に打ちひしがれ、そそくさと家へ帰った可能性もあった。

自分の花が枯れたときに、他人の家の花が美しく咲き誇るのをみるのはつらいものだ。

これ以上、美涼を待たせるわけにはいかないので、とりあえず、家に戻ることにした。

これからは、毎朝、聖星の制服を着た美涼が、彼女の家の前を通って通園するかもしれないのだ。

彼女が引っ越さないかぎり、いくらでも、現実をみせつけるチャンスはある。


また、白玉が出たみたいよ。

北林さんよ。やっぱり、彼女は強運の持ち主ね。


北林という名前に、私の顔は弾かれたように壇上に向いた。

娘の手を引き、二次試験の案内書を受け取りに行く十和子。うっすらと微笑みこそ湛えているものの、その表情からは特別に興奮した様子も舞い上がっている様子も窺えなかった。

まるで母娘で連れ立って買い物に行くような、普段どおりの十和子がそこにはいた。

左手で若草色の封筒を持ち、右手でこずえの手を引き壇上から下りる十和子。

あっという間に、彼女に群がり祝福の言葉をかける取り巻き連中。

私は、自信に満ち溢れた顔でひとりひとりに応える十和子の姿を呆然とみつめた。

周囲の喧騒が鼓膜から遠のき、太陽が雨雲に遮られたように視界が暗くなる。

足もとがぬかるみ、ずぶずぶと地中に引き込まれてゆく……。もがけばもがくほど深みに嵌まり、身動きが取れなくなる。闇の中で私は声をかぎりに叫び、助けを求めた。

のぶ子。おめでとう。よく頑張ったわね。あとひと息よ。もう少しで、美しい花が咲くから。

闇に穏やかな母の笑顔が浮かんだ。

そう、私は、念願を果たした。誰もが憧れ、夢みる楽園の門まで辿《たど》り着くことができた。あとは、門を開くだけ。門が開けばすべてが終わり、長く暗い冬の夜が明け、暖かな陽光が降り注ぐ風光明媚《めいび》な世界が目の前に広がるはずだった。

そうやってあなたは、笑顔とは裏腹なひどい仕打ちを幼い私に続けてきた。

まだ、いじめ足りないというの？　どこまで、私を苦しめれば気が済むの？

母の顔が消え、ふたたび暗黒が広がった。

躰の内側から内臓が腐敗してゆくような不快感に襲われ、胃袋が激しく伸縮した。

波打つ背中を丸め唇に掌を当て、私は駆け出した。

人波を掻き分け、出入り口で不安そうに首を巡らせる美涼の手を取り体育館を飛び出した。

私は、園内の片隅にあるジャングルジムに摑まり、躰をくの字に折った。大きく開けた口から、勢いよく迸《ほとばし》った吐瀉《としゃ》物が地面を汚した。

「ママ……どうしたの？　お腹が痛いの？」

美涼が、泣き出しそうな声で言いながら、私の背中を擦《さす》った。

大丈夫よ、心配しないで。

娘を安心させようとかけた言葉は、熱い吐瀉物で遮られた。

胃の中が空っぽになっても、嘔吐感は止まらなかった。胃袋が飛び出てしまうのではないかと思うほど、横隔膜の痙攣は続いた。

「ママっ、ママっ、ママっ」

美涼の涙声が鼓膜から遠ざかる。

視界が、縦に流れた。四つん這いになった私の視線の先で、胃液が地面に吸い込まれてゆく。

なぜ嘔吐が止まらないのかの理由が、私にはわかっていた。

そう、この汚物は、私の人生そのものだった。

そして、吐いても吐いても尽きることがないだろうこともわかっていた。

栄養成分表示１００ml当たり
エネルギー１５８kcal
たんぱく質０・９g

「のぶ子。美涼、一次試験合格したんだってな」

脂質　　０・１g
炭水化物　37・２g
ナトリウム２・４g

「おい、聞いてるのか?」

●ご使用の際はキャップを押さえよく振ってください。●開栓後は口部を清潔にし、冷所に保存の上、お早めにお使いください。

「なんだ？　お前、ぼーっとして、どうかしたのか？　まさか、合格取り消しとかになったんじゃないよな？」

○品名：中濃ソース　○原材料名……。

「そんなわけないじゃない」

私はボトルから顔を上げ、虚ろな瞳を夫に向けた。

そんなわけない。美涼は聖星の一次試験に合格した。五百六十八分の七十の難関を突破した。

残すは、面接の二次試験だけ。楽園への片道切符は、手に入れたも同然だった。

「だったら、念願の聖星の一次試験に合格したというのに、なんでそんなに暗い顔をしているんだ？」

焼き魚が、白い眼球で私をみつめていた。焦げた皮膚に、醬油をかけられ、大根おろしを塗りつけられ、身を抉り取られ……この魚は、いったい、なんのために生まれてきたのだろうか？

白い眼球をみていると、自分の瞳を覗き込んでいるような気分になる。

半開きの口が、なにかを訴えかけていた。

死ぬために、生まれてきたのさ。

私には、焼き魚がそう呟いているように聞こえた。

夫の箸が身を啄《ついば》むたびに、鋭利な刃物で皮膚を切り裂かれるような激痛に襲われた。

なかなかのもんだな。この魚、スーパーで買ったのか？

箸先に摘まれた黄白色の身を口に放り込みながら、夫が訊ねてきた。

二度、三度、四度……箸が動かされるたびに、焼き魚の背の部分の骨が露出した。

「やめてよ」

「ん？　なにがだ？」

夫が、きょとんとした顔で問い返した。その間も、箸が身を抉る、抉る、抉る……。

「やめてって、言ってるじゃない！」

私は金切り声を上げ夫の前から皿を取り上げ、席を立った。

「なんだ、急に大声なんか出して……びっくりするじゃないか。ほら、まだ食べてる最中だぞ。はやく、返しなさい」

「いやよっ。また、食べる気なんでしょう？」

「あたりまえじゃないか。おかしなことを言うやつだな」

「観賞魚は食べないくせに、どうしてこの魚は食べるのよ!?　ねえ、どうしてよ!?」

私は夫の顔前に皿を突きつけつつ、厳しく問い詰めた。

「どうしてって……観賞魚は食用じゃないからに決まってるだろ？　お前、言ってることがおかしいぞ？」

「どこがおかしいのよ!?　観賞魚もこの魚も、魚は魚でしょ？　この魚が食用だなんて、誰が決めたのよ？　もっと生きたいかもしれないじゃない？　海に戻りたいかもしれないじゃない？　なのに、なぜ、人間に食べられるものだと最初から決めつけるの？　そういう眼でみるの？　観賞魚は色鮮やかで美しいから？　みなが観賞用だと言ってるから？　この魚なりに、観賞魚としての魅力があるかもしれないじゃない。観賞魚のほうが、美味しいかもしれないじゃない。みかけや雰囲気で、すべてを判断しないでよ！」

鼓膜を引き裂く破損音と絶叫が交錯した。皿の破片と焼き魚の身がそこここに飛び散った。

あんぐりと口を開けて表情を凍てつかせる夫を置き去りに、私は台所をあとにした。

わかるはずがない。夫に……いや、誰にも、私の気持ちなど、わかるわけがなかった。

百五十一、百五十二、百五十三、百五十四、百五十五、百五十六、百五十七……。

私は布団の上に正座をし、静まり返った空間を刻む秒針の音に耳を傾けていた。

脳裏を過《よ》ぎる映像に意識を奪われた。百五十七回目を数えたところで、回数がわからなくなった。

これで、十回目だ。十回のうちのすべてが、百六十回前後のところで躓いた。

つまり、約二分半置きに、あの忌まわしい記憶が蘇っている計算となる。

隣では、夫が大口を開けて胸板を上下させていた。恐らく鼾を掻いているのだろうが、私の耳には秒針の音しか聞こえなかった。

薄闇に浮く目覚まし時計の蛍光針に眼をやった。

午前三時五十分。ちょうどあと五時間ほどで、一切に終止符が打たれる。

自分でも、三十三年間、よく耐えてきたと思う。しかし、これまでだ。

もう、一日たりとも我慢することはできない。
一、二、三、四、五……。
私は、八時五十分になるまでの秒読みを始めた。

一万八千秒を数え切るのは容易ではないのかもしれないが、物心ついてから現在に至るまでの辛抱に比べたら、どうということはない。
二十八、二十九、三十、三十一、三十二、三十三……。
一秒数えるごとに、解放の瞬間の足音が大きくなる。

ずいぶんと、遠回りをしたのかもしれない。でも、目的地には、着実に一歩、また一歩と近づいていた。

一万八千秒後の光景をシミュレーションしながら、眼を閉じた。

瞼の裏に、花びらだけが色づいた真紅の薔薇が咲いた。

17

二台並んだ自動販売機の陰で息を潜め、私は通りを挟んだ建物……恵美の母親が経営している私設託児所の入るマンションのエントランスをじっと凝視した。

背後は雑居ビルになっており、幸いなことに空きテナントが多いので人気《ひとけ》はなかった。

私は、この雑居ビルの薄暗いエントランスホールの奥に可燃ゴミ専用のゴミ捨て場へと続くドアがあり、そのゴミ捨て場は四方がコンクリートに囲まれた密室状態になっていること

と、今日は不燃ゴミの日なので誰も訪れないことをこの日のために事前に調査していた。

この日を、いつ、と決めていたわけではない。また、はっきりとそうしようと決めていたわけでもない。

ただ、この日がいつきてもいいように、準備はしていた。右手に持っている黒いナイロンバッグもそうだ。

買い物用に使っているのだが、折り畳み式で、使わないときは単行本ほどの大きさになり、広げるとスイカが四つは入る大きさになる。

しかし、用意周到かといえば、そうでもない。

そのあとにどうするかについては、実家の裏山に行くとしか決めていなかった。

ただ、目的を果たすことだけに、いまは全神経を集中させていた。

過去の経験で言えば、あと五分で十和子の車は到着する。道幅が狭く路上駐車ができないので、こずえだけをマンションの前に降ろして、五十メートルほど離れた百円パーキングに車を停めに行くのだ。

十和子が戻ってくるまで、三分から五分といったところだ。

その間に、子供を預けにくる母親が立て続けに五、六人現れる場合もあれば、誰もこない場合もある。

それればかりは、そのときになってみないとわからない。

ただ、三、四十秒の間、誰にもみられなければ十分だった。

足もとから這い上がる冷気に、躰が凍えた。今朝は、この冬一番の冷え込みだそうで、気温は二月並みだと朝の天気予報で言っていた。

私は、足踏みを繰り返した。もう、一時間近くも立ちっ放しなので、爪先が痛いほどに悴《かじか》んでいた。

美涼と聡は、家で夫が面倒をみている。

父の具合が悪くなり、午後から実家に行かなければならないと朝のうちに伝えておいたのだ。

義父の見舞いに駆り出されるよりはましだと思ったのか、夫は素直に会社に電話をかけて、急遽《きゅうきょ》、有給休暇を取ったのだ。

事が終われば、すぐに家に戻り、ナイロンバッグを置き、美涼を託児所へ預けてから聡を幼稚園に連れてゆき、そのあとにローズ・フェアリーに顔を出すつもりだった。

気をつけなければならないのは、いつもと違う言動をしないようにすることだった。

手に白い息を吹きかけ、指先を擦《こす》り合わせた。

残るはあと四分。昨夜から、一万七千七百六十秒が経過したことになる。

口には出していないが、一秒の狂いもなく脳内でカウントダウンは続いていた。

レインコートの襟を重ね合わせ、身震いした。身を切る冷風ばかりが理由ではなかった。

人影が現れた。私は反射的に顔を引っ込めた。人影は、恵美だった。路肩に停まっているスクーターのハンドルミラーを覗き込み、髪型をセットしている。

これから、ローズ・フェアリーで行われる「お茶会」に顔を出すのだろう。

彼女の姿が遠ざかったのを確認し、私は渇ききった唇から安堵の吐息を小刻みに漏らした。

脳内のカウントダウンが残り二百秒を切った。不意に、美涼の顔が浮かんだ。娘は、とても不安そうな顔をしていた。そしてどうしようもなく、冥い瞳をしていた。

安心して。
心配はいらないわ。
ママがいるからね。
大丈夫。
あなたは、なにも心配することはないの。
美涼。あなたと出会えて、本当によかったわ。

あなたよりちょっとだけおねえさんのときに、約束したの。
あなたを、絶対に哀しませないって。
あなたを、絶対に守るって。
あなたを、絶対に幸せにするって。
あなたのためなら、自分のすべてを犠牲にしてもいいって。

——信じられないわ。どうして、あなただけが不合格なの？　お母さん、恥ずかしいわ。明日から、どうやってみんなの顔をみればいいの？

少女は歯を食いしばり、懸命に涙を堪えた。鼻がぐずぐずし、嗚咽が唇を割って出た。

——ああ……いらいらするわねっ。その顔を、やめなさいったら！

腕を摑まれ、揺すられ、突き飛ばされた少女は尻餅をつき、震える瞳で母を見上げた。

——もっと、ちゃんとした子が生まれればよかったのに。あの子みたいに。

胸の奥から、亀裂が入るような音が聞こえた。視界が黒く、頭の中が白く染まった。

少女には、いま自分がいる空間が夢か現実かの区別がつかなかった。

　安心して。

心配はいらないわ。

お母さんがいるからね。

大丈夫。

あなたは、なにも心配することはないの。

のぶ子。あなたと出会えて、本当によかったわ。


少女は、母の言葉を心で繰り返した。

きつく瞼を閉じた。うっすらと涙に濡れた睫《まつげ》が小刻みに震えた。

小さな掌で耳を塞ぎ、何度も、何度も繰り返した。


遠くから、排気音が聞こえてきた。

弾かれたように、首を巡らせた。

視線の先……見覚えのある濃紺のベンツ。

私は、息を殺し、ベンツの動きを追った。フロントウインドウ越しに、十和子の顔がみえた。

後部座席に乗っているだろうこずえの姿は、この位置から窺うことはできなかった。

ベンツが速度を落とし、マンションの前に停まった。

あなたよりちょっとだけおねえさんのときに、約束したの。

颯爽《さっそう》と運転席から降り立った十和子が後部座席のドアを開けた。

あなたを、絶対に哀しませないって。

眠そうに眼を擦りながら、母の足にしがみつき甘えるこずえ。

あなたを、絶対に守るって。

娘の頭を優しく撫で、ふたたび運転席に乗り込む十和子。

あなたを、絶対に幸せにするって。

ベンツが走り去り、大きく手を振っていたこずえがエントランスホールに続く石段を跳ねるように駆け上る。

あなたのためなら、自分のすべてを犠牲にしてもいいって。

上下に弾む、ピンクのリボンが結ばれたおさげ髪を追った。小さな背中が次第に迫ってくる。

ガラスを引っ掻くような急ブレーキの音と鼓膜を切り裂くクラクションを気にも留めず、私はエントランスホールに駆け込んだ。

「あ、おばちゃん」

エレベータホールの壁に背を預け絵本を開いていたこずえが、私を認めて無邪気に破顔した。

「表に、かわいらしい子猫がいるわよ」

私はこずえに負けないくらいに満面に笑みを湛えて、外を指差した。

「猫ちゃんがいるの？　みたい！」

「じゃあ、ママが帰ってくるまでの間、みに行こうか？」

「うん」

どこまでも無邪気なこずえの手を引き、エントランスへと向かった。

ベンツの走り去った方角に首を巡らせ、十和子の姿がないかを確認し、駆け足で道路を渡った。

「子猫ちゃん、いなくなるから急ごうね。子猫ちゃん、いなくなるから急ごうね。子猫ちゃん、いなくなるから急ごうね」

私は呪文のように繰り返しながらこずえの手を引いた。

「猫ちゃん、いなくなっちゃう？」

こずえが心配そうな顔で見上げる。

「そうね、いなくなっちゃうかもしれないから、もっと急ごうね」

周囲に視線を巡らせ、無理やり口もとを綻ばせると駆け足のピッチを上げた。

「おばちゃん、手が痛いよ……」

「ごめんね」

雑居ビルのエントランスに入ると、私はこずえの掌を擦ってやった。

美涼なら、鼻を赤らめぐずり始めるところだ。

細く折れそうな指先をみて、瞬間、母性が胸奥で蠢《うごめ》いた。

「こずえは大丈夫。おばちゃんのほうこそ、大丈夫？」

しっかりした口調。心優しい気遣い。聡明そうな瞳。

私は、小学校高学年の少女と会話しているような錯覚に襲われた。

微かに芽生えかけていた母性が霧散してゆく……。


あなたを、絶対に守るって。


「さあ、子猫ちゃんをみに行きましょう」

冷え冷えとした声で語りかけ、ふたたびこずえの手を握った。

薄暗く陰鬱なエントランスホールの奥へ歩を進めた。まるで、自分自身の心の奥へ踏み込んで行くようだった。

「猫ちゃんは、このお部屋にいるの？」

こずえが、ゴミ捨て場のドアを指差して言った。

「そうよ。寂しい、独りにしないで、私はここよ……ってね」

こずえの頭を撫で、ドアノブを回した。

嘘。子猫なんていない。このドアの向こう側にいるのは、幼き日の私だった。

ドアが、軋みを立てながらゆっくりと開いた。

黒黴の染みがグラデーションを作るコンクリート壁に囲まれた三畳ほどの空間……陽が当たらず、じめじめと湿り、生ゴミの腐敗臭が漂うこの部屋に、私は住んでいた。

三十三年間、ずっと……胸が膨らみ、子供を産み、皺が目立つようになり、声が低くなっても、私は、あのときの少女のまま、この部屋で待っていた。

誰かが気づいてくれるのを……連れ出してくれるのを待っていた。

でも、誰もみつけてはくれなかった。

孤独な空間で、息を潜め、ときおりドアの隙間から射し込む外光らしき頼りなき筋をみつめ、いつの日か青い空を見上げることに思いを馳せながら、私は「私」に語りかけた。


あなたを、絶対に守るって。


そう、私が約束したのは美涼にではなく、あの頃の少女……「私」にだったのだ。

視線を足もとに落とした。雑草が、コンクリート床の亀裂から顔を覗かせていた。

冬に、陽の光もなく、ろくな土も養分もなく、そんな悪環境の中でも懸命に生きようとする逞《たくま》しく健気な小さな生命の存在に、不意に、涙が溢れ出してきた。

私は顔を覆い、その場に泣き崩れた。

「おばちゃん……？　どうしたの？」

小さな掌が、肩に触れる。

「哀しいの？　こずえが、楽しいお話ししてあげ……」

目の前の壁が、下から上に流れた。

びっくりしたように見上げるこずえの顔がナイロンバッグに覆われた。

無意識に、両手で鷲摑《わしづか》みにした頭の後部を壁に打ちつけた。二度、三度と両腕を前後に動かした。

鈍く重々しい音とともになにかが砕け散る禍々しい感触が、前腕から肩へと這い上がった。

視界が、急激に光量を増した。

粉砕したのは、私を閉じ込めていた分厚く寒々しいコンクリート壁だった。

こずえの躰から力が抜けるのと同時に、私の躰もすぅっと軽くなった。

地響きが足もとを震わせる。

私は、首から下だけ出ている肉塊をナイロンバッグの中へ押し込むとファスナーを閉めた。

ふくらはぎの肉に金具が食い込み、残り三分の一ほどのところでファスナーの動きが止まった。

膝立ちの姿勢で、右腕に渾身の力を込めた。嚙み締めた奥歯が欠け、生爪が剝がれた。構わずにファスナーを引き続けると、肉片が千切れコートの袖口に付着した。ようやく、ファスナーが閉まった。

私はコンクリートの地べたに腰を下ろし、深く大きなため息を吐いた。

緊張に強張っていた全身の筋肉がゆっくりと弛緩してゆく。

安堵が広がると、急に空腹を感じた。無理もなかった。

昨夜から一睡もせずに今日のことを考え、準備をし、朝食を摂る精神的余裕も時間もなかったのだ。

このあとは、いったん家へと帰り、美涼を託児所へと預けてから聡を幼稚園に送り届け、ローズ・フェアリーに向かう予定だった。

娘の失踪。「お茶会」はきっと中止になるだろう。だが、そんなことは露とも知らないふうを装う必要があった。

私が「事件」を知るのは、託児所に寄ったときかローズ・フェアリーに顔を出したときでなければならない。

家で食事をしている暇はないし、もちろん、レストランに入る時間もない。

季節柄すぐに腐敗する心配はないが、肉塊の入ったナイロンバッグを長時間家に置きっ放しにするのはあまり気持ちのいいものではないので、こずえの「捜索」に参加しているふりをして、その間に狭山の実家に帰るつもりだった。

実家には裏山があり、いまの時期はまったくといっていいほど人気がなく、目的を果たすには最適の場所だった。

実家に向かう前に、どこかのコンビニエンスストアに立ち寄ってサンドイッチかおにぎりを買うことにしよう。

本当はパン屋やデパートで売っているものを食べたかったのだが、贅沢は言っていられない。

いまは胃袋になにも入っていない状態なので、味には期待できないコンビニ物でもそこそこ美味しく感じるはずだ。

私は、コートの袖口に付着する肉片を指先で摘み、しげしげと眺めた。

それから、コンクリート棚に積まれている膨大な数の可燃ゴミの袋のひとつの口を開け、異臭を放つタマネギの皮やレタスの切れ端に紛れさせると腰を屈め、雑草にそっと手を伸ばし労《いたわ》るように撫でた。

「きれいな花を咲かせるのよ」

歌うように言うと、ナイロンバッグを片手にドアへと向かった。
ようやく、願いが叶う瞬間がやってきた。
私はノブを回し、三十三年振りに「部屋」を出た。

18

「ですから、ここから五十メートルほど離れた駐車場に車を停めて、戻ってきたときにはこずえはいなくなっていたんです。何度同じことを説明すればいいんですか？　それとも、目を離した私の責任だとおっしゃりたいんですか⁉」

十和子の金切り声が、きらびやかに装飾されたリビングに鳴り響いた。

応接ソファでティーカップを傾けていた恵美が、驚いたような顔を十和子に向けた。

恵美は、十和子を神格化しているふうがあったので、らしくない彼女の姿に戸惑いを隠せないようだった。

十和子のこんなに取り乱した姿をみるのは、初めてのことだった。

先日行われた芳江の葬儀の席で、静かに涙を流す程度だったのと大違いだ。

まあ、親友とはいっても、もともとが赤の他人のお受験仲間と最愛の娘を一緒に考えるわけにはいかない。

「いいえ、我々は、決してそのようなつもりで申したわけではありません。ただ、何者かが娘さんを連れ去ったのだとすれば、お母様がいない僅かな間しかないので、それで、お訊ねしただけです」

額に浮かぶ汗をハンカチで拭い、まだ二十五、六の制服警官がたじたじとなりながら弁明した。

あどけなさの抜け切らない童顔の制服警官は、牛込署の地域課の巡査だった。十和子の出した捜索願を受けて、初動捜査に駆り出されたに違いない。

いまは末端の巡査が対応しているが、事件性があるとなれば刑事課の登場となる。

芳江が自殺を図った日に中西家を訪れた、あの穴井という粘着質の老刑事がふたたび現れ、根掘り葉掘り訊ねてくるのだろうか？

正直、あの刑事は苦手なタイプだった。のらりくらりとしながら、あらゆる角度から質問を投げかけてくる。

それも、かなり執拗にだ。

三歳の幼児が忽然《こつぜん》と姿を消したのだから、穴井は犯罪絡みと睨み、十和子やこずえに関係のある人物に事情聴取を行うだろう。

それならそれで、構わなかった。

芳江のときは、万引き現場の撮影や無言電話をかけたことなど、身に覚えのあることばかりで私自身疚しい気持ちで一杯だったのだが、今回は違う。

こずえの失踪に、私は無関係だった。

たしかに、十和子が離れた隙に私はこずえと同じくらいの年頃の少女を、子猫をみせてあげるからとビルのゴミ捨て場へと誘い込んだ。

ゴミ捨て場に子猫などおらず、少女の気を引くための嘘だったことは認める。

しかし、それは悪意に満ちたものではなく……嘘の種類に善と悪があるならば、私が吐いたのは間違いなく聖なる嘘だった。


「その少女」はこずえとよく似た年格好だったが、まったくの別人だった。

「その少女」はこずえとよく似た顔立ちをしていたが、まったくの別人だった。

「その少女」はこずえとよく似た声をしていたが、まったくの別人だった。


初めて会ったのではない。「その少女」のことは、昔から知っていた。

私は幼い頃から「その少女」の髪に結ばれたかわいらしいリボンを眼に、鈴を転がしたような笑い声を耳にしながら育ってきた。

叱られたとき、落ち込んでいるとき、哀しんでいるとき、「その少女」は、必ず声をかけてくれた。

のぶちゃんには、私がいるから大丈夫よ。

不意に、母の優しい笑顔が瞼の裏に浮かんだ。そして、彼女の笑顔は、「その少女」と母親を眼にすると決まって凍てついた。

「だから、それが私のせいにしているっていうのよっ。一番後悔しているのは私なのよ！一番哀しんでいるのは私なのよ！」

十和子の絶叫が、私を現実に引き戻した。

「おい、十和子。落ち着きなさい」

彼女の夫……雅人《まさと》が、妻の肩を抱き寄せ宥《なだ》めるように言った。

弁護士なだけあり、この状況でも動転した素振りをみせないのはさすがだった。

目の前で髪を振り乱し、瞼を赤く泣き腫らして叫ぶ女性が、あの優雅で周囲の羨望を独り占めにしている十和子と同一人物とは思えなかった。

せめて二、三十年前に十和子がこうなっていたなら……。

悔恨の念が、胸を掻き毟る。膝の上に乗せた掌……爪が、ジーンズ越しに皮膚に食い込んだ。

「託児所を経営なさっているのは、奥様の実家ですよね？」

制服警官が、十和子から逃げるように質問の相手を恵美に替えた。

「ええ」

「これまでに、不審な人物とかみかけませんでしたか？」

「特別に、そういう人は……」

「君じゃ話にならない。はやく、刑事課の人間を呼んでくれ。落とし物の届け出じゃないんだぞ？　こうしている間に、こずえの身にもしものことがあったらどうするつもりだ？」

業を煮やした雅人が、制服警官に詰め寄った。夫の隣で泣き崩れる十和子をみて、胸が痛んだ。

容姿端麗、大手弁護士事務所を経営する夫、豪華なマンション、出来のいい娘……正直、彼女を妬んでいた。

しかし、じっさいに不幸に見舞われている彼女を目《ま》の当たりにすると、同情を禁じ得なかった。

綺麗事ではなく、こずえには無事であってほしい。同じ歳の娘を持つ親として、せつにそう願った。これは、建て前ではなく本音だった。

もし、万が一にもこずえの身になにかがあったなら、母娘揃って死んだことになる。

いつの間にか、制服警官はいなくなっていた。雅人に言われたとおりに、上司を呼びに行ったのだろう。

私も、そろそろ恵美の実家に預けている美涼と幼稚園の聡を迎えに行き、帰らなければならない時間だ。

「悪いけど、ちょっと用事があるから、これで失礼するわね」

私は腰を上げ、大理石のテーブルに突っ伏し肩を震わせる十和子に声をかけた。

「十和ちゃんには、私がいるから大丈夫よ」

二十数年振りに十和子の愛称を口にした私は、労るように彼女の背中に手を当てた。

弾かれたように顔を上げ、泣き腫らした眼を大きく見開きみつめてくる十和子に、私は笑顔で頷いた。


猫のように足音を殺し、廊下を歩いた。

そっとドアを開け、茶の間を覗き込む。だらしなく横になり、くだらないテレビ番組に大笑いする夫。夫の隣で絵を描く美涼。壁に背を預け漫画本を読む聡。

私はドアから離れ、今度は急ぎ足で廊下を進んだ。右手に提げたナイロンバッグの重みが、ゴミ捨て場から家へ運ぶときよりも増したような気がした。

トイレに入り、バッグを便器の蓋の上に置いた。ファスナーを開けると、血塗れの顔が眼に飛び込んできた。

子供なので新陳代謝がはやいせいか、血液は凝固しつつあった。

私は肉塊からボンボンのついた赤いセーターとチェックのスカート、そして、くるぶしに苺の刺繍の入った靴下を脱がせた。

幼児とはいえ、狭いトイレの個室で返り血を浴びないように衣服を脱がすのは思ったよりも大変な作業だった。

下着にかけられた手の動きが、ノックの音に止まった。心拍数が上昇し、鼓動がハイテンポのリズムを刻み始めた。

「はい？」

「なんだ、入ってるのか？」

夫だった。

「ごめんなさい。お腹を壊しちゃったみたいで……」

故意に、苦しげな声を出してみせた。

「はやくしてくれよ」

足音が遠ざかり、茶の間のドアが閉まる音を確認し、ひとつ大きなため息を吐くと、中断していた作業を再開した。

全裸になった肉塊を半透明のゴミ袋で覆い、粘着テープで巻いた。衣服や便器に血液がつかないように注意を払いながら、生ゴミと化した肉塊をナイロンバッグの中へと戻したときには、レインコートの下は汗に塗れていた。

適当にトイレットペーパーのロールを巻き取る音を立て、水を流した。

トイレの中を隅々まで見渡し、血飛沫が付着していないかをチェックした。

ドアを細く開け、廊下の様子を窺った。小走りに玄関に向かい、外へナイロンバッグを出すとふたたび部屋に戻った。

「あなた。子供達を、よろしくお願いします」

相変わらず横になりテレビをみている夫に、声をかけた。

自分が面倒なことにならなければ、夫は無関心でいてくれる。

今日ばかりは、彼の無責任な性格に感謝しなければならない。

「帰り、何時頃になるんだ?」

テレビに顔を向けたまま、夫が訊ねてくる。

「まだわからないけど、できるだけはやく帰ってくるわ」

「頼んだぞ。出費がかさむから、出前は勘弁してくれよな」

「わかりました」

この人の頭の中では、妻の存在は家政婦程度の価値しかないのだ。

「ママ、美涼も、おじいちゃんちに連れてって」

「おお、そうだ。義父《とう》さんに、孫の顔でもみせてやったらどうだ？　聡も、一緒に行けばいい」

子供の世話から逃避して楽をしようと、夫が娘の言葉を後押しした。

「だめよ！」

思わず、声を荒らげた。

美涼と聡が、びっくりしたような顔で私をみつめた。

子供達ふたりだけではなく、夫も呆気に取られたような表情をしていた。

「どうしたんだ？　お前……」

「ごめんなさい。ほら、父は具合が悪いから、この子達がいたら大変でしょう？　美涼も、わかるわよね？」

取り繕うように言いながら、私は娘の頭に手を置いた。

美涼が懸命に涙を堪え、こっくりと頷いた。

「じゃあ、ママは行ってくるから、ふたりともお利口さんにしててね」

私は笑顔で言い残し、茶の間を出た。

あと少し……もう少しで、解放の瞬間が訪れる。

逸《はや》る気持ちを抑えるように、一歩ずつ、廊下を踏み締めた。

次第に近づくドアの向こう側に、私は確かに楽園をみた。

19

「美涼のブラウスを作るのに銀座のマチコ・タキガワに行って、幼稚園への送り迎えはベンツじゃなきゃだめだっていうから、旦那に新車に買い替えてもらって、週末はお受験ママ達を招いてホームパーティを開いたり……あ、それから、先週は、通ってるピアノ教室の先生の妹さんが青山の教会で結婚式を挙げて、それで、ぜひとも出席してほしいってお誘いがきたから、披露宴には出られませんけど、って条件で顔だけ出してきたわ。そしたら、会ったこともないような人達から、どうやったら美涼ちゃんのような子供に育てることができますか？　とか、中西さんってずいぶんお若くみえるけど、なにか特別の化粧品を使ってらっしゃるの？　とか、新婦さんより目立っちゃって、なんだか申し訳なくて。結婚式から帰ったら帰ったで、今度は旦那の会社の従業員がくるからお酒や料理の用意をしなきゃならなくなって……もう、一日が四十八時間欲しいくらいよ」

それまで、彫像のように微動だにせず私の話に耳を傾けていた父が、昔の半分くらいになったのではないかと思うほどの細い首を二、三度、ゆっくりと縦に振った。

私は、喋り過ぎてからからに渇いた喉を、懐かしい香りのするほうじ茶で潤した。

幼い頃から、父の出すほうじ茶をいつも飲んでいた。母の顔から笑みがきえたとき、あのコと比べられたとき、決まって私はこの部屋を訪れ、ほうじ茶を飲んだ。

——今日、学校の先生に褒められたの。のぶ子ちゃんは、いつも明るくはきはきした挨拶ができて偉いね、って。

——休み時間になると、えっちゃんや美樹ちゃんや俊江ちゃんや眞知子ちゃん……ええっと、それから、一美ちゃんや紀子ちゃんや和子ちゃんが、私の席に集まって、今度の日曜日遊びにきてって言うんだよ。私、一度にそんなにたくさんのお家に行けないよ、って言ったら、みんなが言うの。のぶちゃんが十人いたらいいのにって。

——昨日の遠足で、みんながお弁当を食べてるときに、十和ちゃんがひとりで食べてたのね。だから、のぶ子、十和ちゃんがかわいそうになって、仲間に入れてあげたの。

その当時の父は、いまほど痩せても髪が白くもなかったが、無言で、首を縦に振り、私の話にじっと耳を傾けている姿だけは同じだった。

いつだって父は、私を遮ることなく話を聞いてくれた。

この部屋で、父に様々な出来事を報告するひとときだけ、心が安らいだ。

彼が私の理解者であったかといえば、そうとも言えなかった。

——また、こんなところで怠けて。ピアノのお稽古の時間よ。ほら、急いで支度して。

——頭が痛いの。今日は、お休みしていい？

——なにを言ってるの。こんな空気が悪い部屋にいるからじゃない。外に出れば、そんなもの治るわよ。

母は、まるで父など存在しないとでもいうように、私だけをみつめて言った。

——ねえねえ、お父さん。ここにいて、いいでしょう？　ねえ、お父さん。もっと、お話ししててもいいでしょう？

懸命に訴える私の視線に気づかないふりをし、父はほうじ茶を啜った。

——少しは、あの子を見習いなさいっ。これ以上、母さんに恥をかかせないで。あなたは、悔しくないわけ？　ほら、さっさときなさいっ。

父は、一度も私をみようとせず、嵐が過ぎ去るのを待つ枯れ枝のように、身動《みじろ》ぎひとつしなかった。

昔から、なにを考えているのかわからない人だった。

娘を心配しているのか、心配していないのか、部屋を訪れるのが嬉しいのか、迷惑なのか……。

でも、いまになってみると、そのどちらでもないことがわかった。

彼は、無関心だっただけ。そう、夫と同じように、面倒な問題に巻き込まれたくなかっただけの話だ。

それでもよかった。人形や草花は、なにを語りかけても頷いてはくれない。

ただ、頷いてくれるだけでも、あの頃の私は救われた。

唯一、父は、私の話を聞いてくれる存在だった。

「一次試験にはね、五百人以上が応募して、七十人しか合格しないのよ。あの抽選器には、ちょっとしたコツがあってね。半回転までは勢いよく回して、残りの半回転はゆっくりと回すの。『お茶会』のときに……あ、『お茶会』っていうのは、お受験ママ達が喫茶店に集まることをそう呼んでいるんだけど、その席で、みんなにはいつも教えていたのに、真剣に聞かないものだから不合格になっちゃって。ゆり子なんて、みてられなかったわ。この世の終わりみたいな顔して……。十和子の子供は、合格したわ。彼女ね、いつも、私の言うことを必死でメモしていたの。それだけじゃないわ。私のやることや買う物を、なんでもまねしちゃって。そのくせ、自分はなにも発言しないで、人からの情報を貰うばかり。みんな怒っちゃって、もう、十和子を『お茶会』に呼ぶのはよそうなんて言い出すものだから、説得するのに大変だったわ。まあ、いろいろと問題のあるコだけど、小さい頃からのつき合いだし、放っておけないじゃない。だから、私がひと肌脱いだってわけ。みんなは、私の言うことなら、たいていのことは聞いてくれるから」

あの頃から二十五年以上が経ち、家は老朽化し、近所の田畑には次々とマンションが建ち並ぶ中、父だけは変わらず昔のままだった。

「お父さん。困ったことがあったら、なんでも言ってね。お医者さんに弁護士さん……こうみえても、顔が広いの。のぶ子さんのためなら力になるって……」

「もう、喋らんでもええよ」

久し振りに再会してから、初めて父が口を開いた。

「え……？」

私には、父の言っている意味がわからなかった。

「どんなお前でも、のぶ子は父ちゃんの娘じゃけ」

父が私をまっすぐにみつめながら、嗄《しわが》れてはいるが、力強い声音で言った。

湯呑み茶碗の中のほうじ茶が波打ち、喉が締めつけられたようになった。鼻の奥が熱くなり、唇が震えた。

「父さん……」

言葉が胸につっかえたようになり、声にならなかった。

彼は、知っていた。娘の心に巣くう闇を……深く、大きく開いた漆黒の空洞を……。

もっとはやくに、それがわかっていたなら、別の道に足を踏み出していたのかもしれない。

遅かった。すべてが、なにもかもが、遅過ぎた。

いまさら引き返そうにも、どこをどう歩いてきたのかわからないほどに、複雑で、遠い道程を選んでしまった。

「私ね……」

幼馴染みを殺してしまったことを、告げてしまおうか？

父は彼女のことを知っているし、きっと、気持ちをわかってくれると思う。

少なくとも、あの人みたいに、私を責めることはない。

「次は、お正月に戻ってくるから。これからは寒さが厳しくなるから、躰を大事にしてね」

用意していたのとは違う言葉を口走り、私は腰を上げた。泥だらけのトレーナーをみられないように、コートの襟をしっかりと重ね合わせた。

廊下で足を止め、振り返った。父はテレビのリモコンを手に取り、相撲番組をつけた。

お気に入りの力士がいるわけではない。ゴルフでも野球でも歌番組でも、孤独を紛らわせることができるならなんだっていいのだ。

「ありがとうございます」

そのひと言に様々な意味を込め、私は深々と頭を下げた。

それから顔を上げ、頷く父の姿を瞳に焼きつけ、玄関に向かった。


すっかり陽が暮れた住宅街に、見慣れた都営住宅の群れがぼんやりと浮かんだ。

脳裏を掠める夫の不満げな顔が私を急ぎ足にさせた。

夫などどうでもよかったが、美涼と聡のことが気になった。

とくに美涼は、これから大事な時期だ。栄養をたっぷりと与え、より美しい花を咲かせて貰わなければならない。

聖星に入園したなら……。

思考が途絶えた。いつもなら、止めどなく広がる未来の青写真が、今夜にかぎってはまったく思い浮かばなかった。

どうしたことだろうか。最大の難関だった運がすべての一次試験を突破し、努力が物を言う二次試験を残すだけだというのに……それさえ乗り切れば陽光に満ち溢れる楽園の住人になれるというのに、私の心は雨をしっぽりと吸い込んだ衣服のように重々しかった。

歩を止め、中西家が入る都営住宅とは比べようもない豪華なマンションを見上げた。

以前なら、この場所を通るたびに内臓を食いちぎられるような苦痛に襲われていたが、いまは、なにも感じなかった。

不意に、重厚な排気音が轟《とどろ》き、強烈な光に包まれた。

光は、ヘッドライトだった。排気音が小さくなり、ヘッドライトが足もとを照らした。

マンションの駐車場に入りかけた濃紺のメルセデスが、私の目の前で停まった。

「こずえを、みかけなかった……？」

後部座席のウインドウが下がった。十和子だった。頬はこけ、眼窩《がんか》は老婆のように落ち窪み、眼と鼻の下の化粧が剝げていた。

いつもの完璧な装いの彼女と、同一人物とは思えなかった。

「いいえ、みなかったわ。なにも、情報は入らないの？」

私はいま、ここにいるはずのない人物と会話を交わしている。浮かばれない、憐れな亡霊と……。

「入ったなら、こんな顔していないわけないでしょ！」

突然、物凄い形相で十和子が叫んだ。

「おい、十和子。中西さんに、失礼じゃないか」

運転席から、夫が妻を窘めた。

「あなたは、よくそんな余裕があるわね!?　こずえがこんなときに、平気なわけ？」

白目を剝き、いまにも摑みかからんばかりの勢いで十和子が夫に食ってかかった。

「馬鹿。そんなわけないだろう。お前、どうかしているぞ？」

「どうかもするわよっ。のぶ子。あなた、本当は笑いたいんでしょう!?　いい気味だと思ってるんでしょう!?　ゆり子から、聞いたわよっ。私の悪口を、あることないこと、散々吹《ふい》聴《ちょう》しているんですってね？」

ゆり子……あの下品な娘こそ、一次試験に落ちた腹癒《はらい》せに、私をやっかみ、あることないこと十和子に吹き込んでいるに違いない。

たしかに、十和子のことを快く思っていなかったのは事実だ。しかし、誰かに胸のうちを話したことはないし、それに、昔の話だ。

　少なくとも、死んだ人間を悪く言うほど、私は執念深い女ではないつもりだ。

「十和子、やめなさい」

「いいから、黙ってて！　事情も知らないくせに、よけいな口出ししないでよっ。小さい頃から、私がどれだけのぶ子を庇ってきたと思ってるの？　給食の時間、遠足、お昼休み、自習時間……彼女はね、無口で友達も少なくて、いつもひとりだったから、ことあるごとに私が声をかけてきたの。みんなから、言われたわ。どうして、のぶちゃんと一緒にいるんだって」

　わかっていた。私はいつも、孤独だった。彼女はいつも、庇ってくれた。そして、母はいつも、比較した。

「私は、ひとりひとりに言ったわ。のぶ子は、私の親友だって。正直、白い目でみられたわ。陰口も叩かれた。でもね、後悔はしなかった。だって、彼女を本当に大事な親友のひとりだと思っていたから。大人になってからも同じよ。のぶ子は自分の殻に閉じ籠るタイプだから、みんなから煙たがられて……。『お茶会』のメンバーに入れたのも、一緒に聖星に子供達を通わせたかったから。だから、恵美ちゃんや順子がなにを言っても、そのたびに諭してきたわ。彼女はとっつき難《にく》いところはあるけれど、根は凄くいい人なんだってね。だけど、のぶ子は違った。あなたはね、私の善意を悪意に取ってたのよ。あなたの世話を焼くことで、私が優越感に浸っていたとでも思ってるんでしょ？　どうなの？　そうやってだんまりばかり決め込んで、なに考えてるのよっ。答えなさいったら！」

「十和子、いい加減にしなさいっ」

「ご主人。いいんです。彼女の言うとおりですから……」

私は、消え入りそうな声で言うと、踵を返した。

足が重かった。まるで砂漠を歩いているような、そんな錯覚に襲われた。

本当に、錯覚なのだろうか？　私がみた楽園など、端《はな》から存在しないのではないのだろうか？　見渡すかぎりの砂の世界には、一滴の水も、一匹の動物も存在しない。

すべての命を養分にするこの旱魃《かんばつ》の地で、どうやって、大輪の花を咲かせようというのか？

気づいたときには、中西家の入る三号棟に到着していた。

「人殺し」

階段を上りかけたときに、背後から暗鬱な声を浴びせかけられた。

振り返った視線の先……闇の中に、ぼうっと浮かぶ人影は、ゆり子だった。

「なんのことかしら？」

「よくもまあ、白々しい。私、知ってるんだからね。あんた、こずえちゃんを殺したでしょ？」

黒目が上瞼に半分ほど隠れ、下瞼に色濃い隈を貼りつけたゆり子の顔は尋常ではなかった。

「あなた、なにを言ってるの？」

私は、眉をひそめた。一次試験に落ちて自暴自棄になる気持ちはわかるが、こずえを殺したなど、言いがかりにも程がある。

「ふん。なんて図太い女なの。人を殺しておいて、そんな平然とした顔ができるのなら、聖星の一次試験を通過するために裏工作することなんて、朝飯前ね」

皮肉っぽく口もとを歪め、薄気味の悪い笑みを浮かべるゆり子は、完全に常軌を逸していた。

「それにしても、うまくやったもんだわね。いったい、どうやったら美涼ちゃんみたいな出来の悪い女の子が合格できるのかしら？」

「私のことはなにを言ってもいいけど、娘を馬鹿にするのはやめてちょうだいっ」

思わず、語気が強まった。

正気を失っている彼女を相手にしても無駄だとはわかっていたが、私の分身を侮辱することだけは許せなかった。

「本性が出たわね。でも、あんたには、うまく騙されたわ。垢抜《あかぬ》けないただの根暗なだけの女だと思ってたけど、とんでもない食わせ物ね。こんなことなら、あんたを潰しておくべきだったわ」

　あんたを潰しておくべきだった。

　ゆり子のひと言に、背筋に悪寒が広がった。

　それは、潰すと言われたからではない。

「いま、あんたを、と言ったわね？　もしかして……ゆり子さん、芳江さんに脅迫状を送りつけたのは……」

「なによ。芝居がかっちゃって。ライバルをひとり減らすために、ちょっと脅してやっただけよ。あんたなんて、こずえちゃんを殺したじゃない。どっちのやったことがひどいと思ってるのよ？」

「何度言ったらわかるの？　私が……」

　殺したのは娘ではなく母親よ、という言葉を呑み込んだ。

「私が……なによ？」

「そんなことするわけないでしょう!?　憶測で物を言うのはやめてちょうだいっ」

　私の怒声が、都営住宅の敷地内に響き渡った。

「じゃあ、あんたがこずえちゃんを殺してはいないって話にしてあげてもいいわ。でも、万引き写真を撮影したのはあんたでしょう？」

ゆり子がいやな笑いを片頬に貼りつけた。

「な、なんのことよ？」

予想外の言葉に、私は狼狽した。

「さっきまでの勢いはどうしたのよ？　どうやら、図星のようね。待ち伏せていたのか偶然なのかは知らないけど、あんたは、隠し撮りした写真をみんなに送りつけ、芳江さんを受験競争から追い落とそうとした。彼女に、散々いびられてたものね。でも、本当に恐ろしい女ね。そんなおとなしいふりを……」

「悪いけど、子供が待ってるから」

踵を返そうとする私の腕を、ゆり子が物凄い力で摑んだ。

「逃げる気？　ふたりも人を殺しておいて、自分の家庭だけは守ろうってこと？　聖星の制服着た娘を連れて、優越感に浸りたいってわけ？　そんな虫のいいこと、絶対にさせないわよっ。すべてを暴き出して、あんたの家庭を目茶目茶にしてやるわ！」

ゆり子の爪が皮膚に食い込み、激痛が走った。

「離してよ……痛いじゃない」

思いきり、腕を振り上げた。その拍子に、肘がゆり子の頬に当たった。

「あ、ごめんなさ……」

「触るんじゃないわよっ」

胸を突かれ、後方によろめいた。

「なにするの……」

言葉を切り、私は凍てついた視線をゆり子の手もとに向けた。

どこに隠し持っていたのだろう、果物ナイフのような小さな刃物が彼女の掌の中で冷たい光を放っていた。

「こずえちゃんと芳江さんに代わって、私があんたを殺してやるわ」

ゆり子の目尻は赤く染まり、三角に吊り上がっていた。色を失った唇が小刻みに震え、下の瞼がひくひくと痙攣していた。

「ゆり子さん、正気なの？」

訊ねはしたものの、彼女が本気なのだろうことはすぐにわかった。

そして、理性など、ひとかけらも残っていないだろうことも。

「他人の命は奪えても、自分が死ぬのは怖いわけ？」

口角を上げてはいるが、ゆり子の眼は笑っていなかった。

彼女の言うように、たしかに死ぬのは怖い。しかし、不思議なほどに、私は落ち着き払っていた。

「それであなたの気が済むのなら、どうぞ」

無意識に口をついた自分の言葉に、驚いた。

「強がってんじゃないわよっ。それとも、私が本気であんたを刺せないとでも思ってるわけ？」

「あなたは、私を刺すでしょうね。それは、わかるわ」

まるで、他人事のように言った。誰かが、私の吹き替えをしている……そんな感じだった。

「どこまでも癪に障る女ねっ。私が本気だということを……」

「馬鹿なまねは、やめなさいっ」

唐突に、自転車置き場からふたりの人影が現れた。そのうちのひとりの影が物凄い勢いで突進し、ゆり子に体当たりを食らわせた。

「さあ、こっちへ」

呆然と立ち尽くす私の腕を引いた別の影が、三号棟へ誘《いざな》った。影は、穴井だった。ゆり子を地面に押さえつけナイフを奪っているのは、穴井と一緒に中西家を訪れた若いほうの刑事だった。

「彼女を尾行していたんですよ。途中で見失って駆けつけるのが遅くなりまして、怖い思いをさせてしまいましたね。すみませんでした」

穴井が、申し訳なさそうに頭を下げた。

「ゆり子を尾行……どういうことですの？」

「いや、彼女の電話の通信記録から、僅か一、二週間の間に、ホトケさんの自宅へ何十回もかけているのがわかりましてね。それも、深夜から明け方ばかり。で、ここ数日、彼女の自宅マンションの近辺で張っていたというわけです」

納得がいった。穴井は、芳江の交友関係をすべて調べたに違いなかった。となれば、当然、私が芳江の家に電話をかけているのもわかっているはずだ。ゆり子のマンションを張っていたというのも、怪しいものだ。最初から、この都営住宅をマークしていた可能性が高い。

そしてもうひとつ。駆けつけるのが遅れたというのも嘘で、本当は、私と彼女の会話に耳をそばだてていたのだろう。

相変わらず、油断ならない刑事だった。善人顔をしているが、腹の中ではなにを考えているのかわからない。

芳江を脅迫した罪で私を捕まえるためならば、いま、ゆり子とともに連行すればいいだけの話だ。

穴井の目的はいったい……。

「離して、離してっ、離せっ、この野郎！」

取り押さえられたゆり子が大声で喚き、若い刑事の背中を夜叉《やしゃ》の如き表情で殴りつけていた。

入園試験前の気取り澄ました彼女よりも、いまの蓮葉《はすは》な言葉遣いのほうが似合っている。夢が途絶え、猫を被る必要もなくなったということだろう。

各棟の窓から、住人達がちらほらと顔を覗かせ始めた。

何事が起きたのかという不安と好奇が入り交じった視線が、捕獲された野良猫のように暴れるゆり子に注がれた。

「なんでよ！　どうしてあの人殺しが捕まらないで、私が捕まるのよ！」

ゆり子が車に押し込まれる寸前に、私を指差し絶叫した。

野次馬達の視線が、一斉にゆり子から私に移った。

「場所を、変えましょうか？」

穴井が、気遣うように言った。

「いいえ。ここで結構です。私、疚しいことはなにもしてませんから」

この老獪《ろうかい》な刑事の目論見を悟った私は、いら立ちを隠せなかった。

そう、穴井もまた、私が、こずえを誘拐し殺害したと疑っているのだった。

冗談ではなかった。いくら美涼を聖星に合格させたいからといって、私が、罪もない幼児に手をかけるわけがない。

第一、こずえが行方不明になったのは、一次試験の発表が終わったあとだ。

美涼は一次試験を無事に通過し、私には、こずえをどうこうする動機などない。

「そうですか……。では、少しだけお話をさせてください」

穴井の少しだけは、曲者だ。この前は、その少しだけで約三十分間、根掘り葉掘りいろいろなことを質問された。

「地獄に堕ちろ！」

鬼気迫る彼女の表情に、ふと、三十年近く前にみた有名なホラー映画の主人公の少女の顔を重ね合わせた。

「おい、なにもたもたしてる。さっさと連れて行きなさい」

穴井の一喝に、若い刑事がゆり子を強引に車の後部座席に連れ込んだ。

「中西さん、気になさらないでください。彼女は、お子さんの受験に失敗して自分を見失っているんですよ」

私の耳は、穴井の口先ばかりの見え透いた気遣いの言葉にではなく、ほかのことに反応していた。

受験の失敗……ゆり子についてもうそこまで調べがついているのならば、当然、私のことも嗅ぎ回っているに違いなかった。

「気になんかしてませんわ。事実無根のことですから」

私は、胸を張って答えた。

強がったわけでも、惚けたわけでもなかった。

「それより、お話があるのなら、はやく済ましてもらえませんか？　あまり、時間がないもので」

「いやはや、すみませんでした。では、単刀直入に、訊ねさせてもらいます。北林さんの娘さんがいなくなった日の朝、中西さんはどちらにいらっしゃったのですか？」

やはり、この男は私を疑っていた。だからこそ、ゆり子を泳がせていたのだ。

「聡を幼稚園に連れて行き、美涼を託児所に預けて、それから、ローズ・フェアリーというお母様達が集まる喫茶店に行こうとしたのですが……」

「取りやめになったんですね？」

私は頷いた。

「こずえちゃんが行方不明になったことは、どこでお知りになったのですか？」

「託児所です。恵美さんっていう、お受験仲間の実家が経営しているんです。私のことも調べているんでしょうから、もう、ご存じですよね？」

私は、皮肉を込めて言った。

「いえいえ、調べているだなんて、とんでもない。ただ、こずえちゃんがいなくなった場所が託児所の入ったマンションの前だったので、それで、ほかのお母様方にも同じように訊いて回っているだけです」

嘘。すぐにわかった。彼は、芳江が自殺した件で中西家を訪れたときから、私のことを疑っていた。理由はわからないが、強いてあげれば、それが刑事の勘というものなのだろう。

「それで、なにか手がかりは摑めましたの？」

私は、捜査の進行具合が気になり、さりげないふうを装って訊ねた。

なんら疚しいところはなかったが、それは、こずえの件にたいしてであり、私には、十和子を殺したという負い目があった。

「こずえちゃんの件ではないのですが、芳江さんに送りつけられた例の脅迫状については、進展がありました。何者かがホトケさんの万引き現場を盗み撮りし、お受験仲間に送りつけた。送りつけられた全員が、ホトケさんに嫌がらせの電話をかけ、脅迫状を送りつけた。いまわかっているのは、こんなところです」

「全員⁉」

私は思わず、頓狂な声を上げた。

「そう、全員です。みんなで、よってたかってホトケさんを殺したようなものです。実在版、オリエント急行殺人事件というところですかな」

穴井が、皮肉っぽい笑いを片頰に貼りつけた。

もちろん、私は皮肉であろうが、笑う気分にはなれなかった。

みんなとは、誰のことなのか？　静子、恵美、順子、真理子の全員が、芳江に脅迫状を送り、無言電話をかけていたというのか？

「信じられないわ……。でも、どうして、そんなことがわかるんですか？」

写真を送りつけていた中の誰かが犯人ではないかと疑ってはいたが、まさか、全員が芳江を追い込んでいたとは夢にも思わなかった。

しかし、反面、ライバルを蹴落とし競争率を一パーセントでも落とすためならば鬼になることも厭《いと》わず悪魔に魂を売るようなお受験狂想曲の渦にいる住人達ならば、それくらいやっても不思議ではないという気もする。

「ひとつ、訂正しなければなりません。いま、みんなでホトケさんを殺したようなものだと言いましたが、ひとりだけ、参加しなかった人物がいます。託児所の彼女……なんて言いましたっけ？」

「恵美……？」

「そうそう、恵美さんです。彼女が、教えてくれたんですよ。川名さんをノイローゼにして、お受験競争からリタイアさせようって。最初は、みなの計画に参加していたそうですが、良心が咎めたらしくて。勇気ある決断だと思いますよ。それとも、彼女を軽蔑しますか？」

「軽蔑だなんて、そんな……」

言葉とは裏腹に、私は恵美を軽蔑した。

自分だけ助かりたいがために仲間を警察に売るなど、人間として恥ずべきことだ。

「しかし、解せないのは、なぜ北林さんのところにだけ写真が行かなかったのかということですよ。正直、恵美さんは彼女を疑っていました。私も、当然、北林さんに眼をつけました。ですが、その当然というのが曲者でしてね。つまり、万引き写真を撮影し、仲間に送りつけた犯人の心理としては、自分のところにだけ送られてこないというのは不自然だから、装うわけですよ。ウチにも、写真が送られてきたと。敢えて自分だけ疑われるようなことを、普通、すると思います？」

穴井が、不思議で堪らないといった顔で、疑問を投げかけてきた。

自分の中の結論をおくびにも出さずに冴えない刑事を演じる……本当に、したたかな男だ。

「さあ。でも、そういう人もいるんじゃありません？　誰も彼もが、刑事さんのように用意周到な人ばかりじゃありませんのよ」

ゆり子が連れ去られたいま、窓から顔を覗かせる住人達の興味は、私と穴井に集中していた。

意外なことに、私が不快な気持ちになることはなかった。それどころか、心地好さを感じている自分がいた。

「褒められているんでしょうかね？　まあ、それはさておき、私も中西さんのおっしゃる線を考え、北林家の通信記録も調べてみたんですよ。ホトケさんの家には、一ヵ月以上前に三度かけているだけでした。一ヵ月前と言えば、まだ、みなさんのところに万引き写真は送られていません。しかも昼間で、通話時間は十二分、三十七分、二十一分となっており、少なくとも深夜にかけられた無言電話でないことはたしかです」

「わかりました。十和子さんは、そういうことをやる人ではなかったですからね」

「なかった？」

なぜ、穴井が怪訝そうに眉をひそめたかの理由はわかった。

「いえ、なんでもありません」

私は、お茶を濁した。

いまあなたが接しているのが亡霊であるということを彼が理解できるとは思えなかったし、また、理解してほしいとも思わなかった。

「それより、もう、いいですか？　そろそろ戻らなければ、子供達が心配しますので」

「これは失礼しました。どうぞ、お戻りください」

私は踵を返すと、足を引き摺るようにして階段に向かった。

今日は、いろいろな出来事が立て続けに起こり、精神がかなり憔悴していた。

子供達に晩御飯を作ったら、はやめに床に入ったほうがよさそうだった。

「あ、そうそう、あとひとつだけ、よろしいですか？」

階段のステップに片ほうの足をかけた格好で、振り返った。

「私はね、万引き写真を送りつけた人間と、こずえちゃんを誘拐した人間は同一だと思っているんですよ。では、失礼」

穴井は柔和な笑みを浮かべて頭を下げると、待たせていた覆面パトカーに乗り込んだ。

私は、陰鬱な気分で暗幕を張ったような漆黒の空を見上げた。

「部屋」から出たはずなのに、私の視線の先には、星ひとつみえなかった。

20

茶の間のドアから、アニメソングが漏れ聞こえてきた。金曜日の午後五時は、美涼の大好きなアニメが始まる時間だった。

ドアを開けると、テレビの前に齧《かじ》りついていた美涼が弾かれたように離れ、私の顔色を窺った。

「僕じゃないよ。美涼が、つけてってうるさいから」

仰向けに転がり漫画を読んでいた聡が起き上がり、慌てて弁明した。

子供達が動揺するのも、無理はなかった。

金曜日は六時から、ピアノ教室がある。美涼がアニメみたさにぐずるのを防ぐために、この時間帯はふたりにテレビをつけるのを禁じていたのだった。

「ママ……『ラスティ』が終わってからじゃだめ？　美涼、『ラスティ』がみたいの」

壁を背にし、主役の魔法使い……「ラスティ」を指差し怖々と、しかし懸命に訴える美涼。

「美涼。テレビ消してピアノ行けよ。僕まで怒られるじゃんか」

聡が私をちらちらと気にしながら、美涼を睨みつけた。

「やだっ。お兄ちゃんばっかり漫画みてずるいっ。ねえ、ママ、お願い……」

「いいわよ」

私の言葉に、美涼と聡がびっくりしたように顔を見合わせた。

当然の反応だった。

いつもの私なら、間違いなく金切り声を上げているところなのだから。

「『ラスティ』を……みてもいいの?」

狐に摘まれたような表情で、美涼が訊ねた。

「今日はピアノ教室をお休みするから、ゆっくりみなさい」

「ありがとう!」

美涼が飛び跳ねるようにテレビの前に駆け戻った。

不思議そうな顔を母に向ける息子を残し、私は部屋を出た。

台所に向かい、テーブルの前に腰を下ろした私は、書きかけの便箋に文字を綴《つづ》った。

枚数は、もう既に十枚に達していた。長々と綴った手紙で、数年間の空白を埋めようというわけではなかったし、また、埋まるとは思えなかった。

ただ、真実を伝えたかっただけ。罪悪感に押し潰されそうになった、というのとは違う。

迷惑をかけないように、というのとも違う。

義務感。その言葉が、一番しっくりときた。たとえ仮初《かりそめ》の夫婦であっても、長年連れ添った事実に偽りはない。

私が手紙をしたためようと思った理由は、義務感以上でも、以下でもなかった。

最後の一文を書き終えた私は、便箋を封筒に入れ、テーブルの片隅に置いていた一枚の写真に視線を落とした。

色褪せた写真の中で、優婉《ゆうえん》に微笑む女性に手を引かれ屈託なく笑う女児……母と私だった。

多分、私が三歳か四歳の頃のものだろう。この場所がどこなのか、なにをしているときに写した写真なのか、まったく覚えていなかった。

ひとつだけはっきり覚えているのは、これが、母と私が揃って笑っているたった一枚の写真であるということだった。

私が笑いかけても周囲の眼を気にした母が他人のふりをしたり、逆に周囲を気にした母が笑いかけてきたときには私が泣きそうになっていたり……小学校に上がってからはとくに、笑顔が重なることはなかった。

この写真の当時には、十和子はいなかった。母が微笑みを使い分けるようになったのは、十和子と、彼女の母親が日常生活に入り込むようになってからだ。

「いまなら、その必要はないですよね？　感情の赴くままに、私に微笑みかけてくれますよね？」

だって、もう、あなたが気にする女の子はいないのだから……。

私は、写真の中の母に、泣き笑いの表情で語りかけた。


「その後、どうなんだ？　警察のほうは、なにか言ってきてるのか？」

台所のテーブルに着くなり、珍しく夫のほうから声をかけてきた。

いつもなら、まずはお湯で割った焼酎に梅干しを放り込み、箸先で崩し、ちびちびと飲みながら夕刊紙の株価の面を開く、というのが、夫の帰宅してからのパターンだった。

玄関に足を踏み入れてテーブルに着くまでの間に、口を開くことといえば、せいぜい、あ、疲れた、か、はやく飯の用意をしてくれ、くらいのものだ。

もっとも、いまの問いかけにしても、私のことを気にかけているというより、自分自身が気になっているのだろうことは言うまでもなかった。

「一週間ほど前に、ウチの棟の前で声をかけられたわ」

「なに？　お前、そんなこと、ひと言も言ってなかったじゃないか？」

夫が焼酎のグラスを口に運ぶ手を止め、血相を変えた。

「あなただって、あれから、ひと言も訊いてこなかったじゃない」

最初に穴井が現れた日以降、夫は、面倒に巻き込まれることを嫌い、芳江の自殺の件に素知らぬ顔を決め込んでいた。

「だからって、そんな大事なことをどうして……まあ、いい。で、刑事は、なんの用だったんだ？」

「芳江に脅迫文を出していたのは、恵美と十和子以外の全員なんですって」

「え、本当か？　まったく、女ってやつは怖いな。じゃあ、お前への疑いは晴れたわけだ。ほっとしたよ。妻が、子供の同級生の母親を自殺に追い込んでいたなんて広まったら、会社や近所でなにを言われるかわかったもんじゃないからな。わざわざ、それを伝えにきたのか？」

「ひとつはね」

「ほかに、なにがあるんだ？」

弛緩しかけていた夫の頬肉が瞬時に強張った。

「あの刑事、私が、こずえちゃんを殺したと疑っているわ」

「なんだって⁉　どうして、お前が疑われるんだ？」

「さあ、刑事の勘というものじゃないかしら」

「呆れた話だな。そんな当て勘で、いちいち疑われたら堪ったものじゃない。それに、こずえちゃんが殺されたというのは、刑事が言っていたのか？」

「私が、そう思っているだけ」

私は、呟くように言うと夫から眼を逸らし、掌の中に包んでいる湯呑み茶碗……すっかり温くなったお茶の表面に映る冥い眼をした女性をみつめた。

「お前、まさか……」

「まさかだったら、どうします？」

湯呑み茶碗から移した視線の先では、夫が不治の病を宣告された患者のように凍りついていた。

「いやだわ、そんなこと、あるわけがないじゃない。ただ、誘拐されて一週間以上も経つから、もしかしたら、って思っただけよ。ほら、最近、そういう事件って多いじゃない。それにしても、真《ま》に受けるなんて、あなたって、失礼な人ね」

私は、夫を軽く睨みつけるまねをして冗談めかした。

「だよな。そんなこと、あるわけないよな」

夫は自分に言い聞かせるように何度も頷き、焼酎をひと息に呷《あお》った。

「だけど、お前、古くからの友人の娘さんが誘拐されたことを、やけに他人事のように淡々と言うよな」

それでも釈然としないのか、夫が婉曲な言い回しで探りを入れてきた。

「だって、他人じゃない。違う？」

口調こそ穏やかに、しかし、力を込めた瞳で夫を見据えた。

「そろそろ、飯を頼むよ」

逃げるように株価の面に顔を向けた夫が言った。

流し台の前に立ち、炊飯器の蓋を開けた。

炊き立ての白米から立ち上る湯気が、私の躰から遊離する魂のように思えた。

「嘘つきギツネのコン、意地悪カラスのクロ、乱暴グマのジョン……森の中には、シマリスのミミーに失敗させて恥をかかせてやろうと待ち構えている悪者が一杯います。あるよく晴れた日の朝、ミミーがいつものように森でクルミ拾いをしているときのことでした」

私は絵本から顔を上げ、美涼の様子を窺った。

ベッドに横たわった娘は、うとうととしていた。

この、寝入り端の状態が、脳内にアルファ波が充満し、情報が一番、潜在意識に刻み込まれやすい瞬間と言われているのを、なにかの本で読んだことがあった。

私は、美涼を聖星に入園させるために教え込みたい考えを、まどろみに誘われる娘の耳もとで、お手製の絵本という手段を使って繰り返し吹き込んでいた。

果たして、それでどれほどの効果が得られるのかは甚《はなは》だ疑問だったが、なにはともあれ、受験のためにいいと言われるものは、一応は試してみた。

それはまるで、体重を気にしている女性がダイエットという言葉を見聞きすると条件反射で飛びつく心理によく似ていた。

「意地悪カラスのクロが、ミミーが拾おうとしたクルミをさっと取り上げ、こう言いました。『俺様とフクロウじいさんは、どっちが正直者だ？』クロとフクロウおじいさんのどっちが正直者かは、言うまでもありません。しかし、ミミーには、本当のことを言ってしまえば、クロがクルミを返してくれないだろうことがわかっていました。けれど、ミミーは、お母さんに、嘘を吐くのはとても悪いことだと教えられていたので、クロを正直者だと言うことはできませんでした」

美涼の瞼は完全に閉じていたが、絵本を読むことをやめなかった。

件《くだん》の本では、レム睡眠の段階……身体は眠っているが脳は覚醒に近い状態では、潜在意識は活発に情報を取り込んでいるという。

「正直者はフクロウおじいさんだと思います。そうミミーが答えようとしたとき、そのフクロウおじいさんが現れ、ミミーの耳もとで囁きました。『ミミーや。嘘にも、仕方のない嘘と悪い嘘があるんだよ。クロに本当のことを言ったら、クルミを返してもらえないだろう？　だから、この場合は、仕方のない嘘なんだよ』ミミーは、お母さんの教えとフクロウおじいさんの教えの、どちらを信じればいいのか迷いました」

規則正しい寝息が聞こえてくる。どうやら、美涼は深い眠りに入ってしまったようだ。

「クロさんが正直者です」

私が絵本を閉じ、腰を上げようとしたときのことだった。

眠っていたと思っていた美涼が瞼を擦りながら、次の行に書いてあるミミーのセリフを口にした。

驚きはなかった。なぜなら、いつも聞かされている言葉なのだから……。

「ううん。ミミーは、正直者はフクロウおじいさんです、って言ったのよ」

私はゆっくりと首を横に振り、微笑みを湛えながら言った。

「どうして？　ママ、間違ってるよ。ミミーはね、クロさんが正直者ですって言って、クルミを返してもらったんだよ」

美涼が、少しだけムキになった口調で言った。

「そうね。ママ、間違っていたわ。ミミーは、クロではなく、フクロウおじいさんを正直者だと言ったの」

「ミミー、クルミを返してもらえなくなっちゃうよ」

心配そうに顔を曇らせる美涼。

「でもね、クルミは返してもらえなくても、ミミーは、もっと素晴らしいものを手に入れたのよ」

「アイスクリーム？」

無邪気な娘の発言に、思わず頰が緩んだ。

「違うわ。食べ物じゃなくて、ミミーはね、正しく生きる、ということを学んだのよ。それは、いくらたくさんのお金を払っても買えるものじゃないの」

「ふーん。どうして、ママは間違ったの？」

なにげない娘のひと言が、胸を鷲摑みにした。

本当に、どうして、間違ってしまったのだろうか？

自分だけではなく、娘にまで、同じ道を歩ませようとしていた。

「どうしてかしらね。さあ、もう、遅いから寝なさい。続きは、明日読んであげるから。いい夢、みるのよ」

私は美涼の頭を撫で、腰を上げた。笑顔で頷く娘に頷き返し、明かりを消した。

薄暗がりの中で、眼を凝らし、美涼の寝顔をみつめた。

「おやすみ」

こんなに優しい声でおやすみを言ったのは、いつの頃以来だろうか？

廊下に出た私は、ドアに背を預け、眼を閉じた。

瞼の裏を、テレビドラマのダイジェストシーンのように娘の顔が過ぎった。

どれもこれもが、泣いたり、暗い顔をしていたりするものばかりだった。

いつの間にか、娘の顔が自分の顔に変わっていた。

深いため息が、唇を割って零れ出す。

「お前、なにやってるんだ？」

首からタオルをかけた夫が、お風呂場に向かう途中で歩を止めた。

「いえ、ちょっと立ち暗みが……」

「お受験に根を詰めるのも、ほどほどにしとけよ」

「あなた」

気のない言葉を残して立ち去ろうとした夫の背中に声をかけた。

「私ね……」

「どうした？　風呂に入りたいんだ。言いたいことがあるのなら、はやくしてくれ」

「子供達の朝ご飯の卵を買い忘れていたので、ちょっとコンビニに行ってきます」

面倒臭そうに振り返る夫をみて、私は言うことを変えた。

最後の最後まで、期待を裏切らない男だった。

「なんだ。そんなことか」

夫は素っ気なく言うと、踵を返した。

私は寝室に入り、ドレッサーの前に座った。鏡の中を覗き込む。

目の前に映る女性は、色褪せ、シミが付着し、ところどころがほつれた衣服によく似ていた。

夢遊病者のように、ブラシで髪を梳《と》かした。口紅を、薄く唇に引いた。

束の間、鏡の中の、少しだけ生気を取り戻した女性をみつめ、私は腰を上げた。

玄関に向かい、沓脱ぎ場に脱ぎ散らかされている夫の靴の中にさっき書いた手紙を入れ、私は外へと出た。

階段を下り、都営住宅の敷地の出口に差しかかった私は、背後を振り返り、闇の中に浮かぶ三号棟の建物に眼をやった。

不思議と、胸裏に感傷的なものはなにひとつとして過ぎらなかった。

むしろ、私の心は解放感に包まれていた。

顔を正面に戻し、ゆっくりと歩を踏み出した。

この暗闇と同化できればいいのに……と思いながら。


「いらっしゃい。上がって」

家政婦ではなく、玄関で私を迎えてくれたのは十和子だった。

相変わらず、化粧気のない顔は痛々しいほどにやつれ、憔悴しきっていた。

こずえが行方不明になってからおよそ一週間、捜査の進展がなにもないので、それも、仕方のないことなのかもしれない。

しかし、この前会ったときのように、私にたいしての敵愾心は感じられなかった。

というより、もう、そんな気力もないのかもしれない。

「今日は、私、ひとりなの。家政婦の時恵《ときえ》さんは実家のお父様が倒れて休暇を取っていて、主人はどうしても抜けられない仕事があって……。娘の身より大事な仕事なんて、あるのかしらね」

リビングのソファに腰を下ろすなり、十和子が皮肉っぽく笑った。

「ご主人も、仕事でもやってなければ気がどうにかなってしまいそうなんじゃないかしら」

「さあ、どうだか。私ね、こずえがこんなことになって、夫の別の一面に初めて気づいたの。

いままでは、家庭を大事にするよき夫であり、よき父親だと思っていた。微塵の疑いも抱かずにね。でも、違ったわ。結局、あの人が一番かわいいのは自分だったのよ」

十和子が、剝製《はくせい》のような無機質な瞳を向けた。

私は、まるで自分にみつめられているような錯覚に囚われた。

「ご主人が、ではなくて、男はみんなそういうものじゃないかしら」

十和子にたいして、というより、自分にかけた言葉だった。

父、夫、聡……少なくとも、私の知っている男達はみな、そうだった。

「それに……自分が一番なのは、私達も同じよ。違う？」

様々な意味を込めて、私は十和子に問いかけた。

受験もそう。子供のためと言いながら、ためになるどころか、必要のないことばかり……親の体裁や理想に都合のいいことばかりを教え込んでいる。

男達と同じと言ったが、ある意味、女……それも母親達のほうが遥かに自分を愛しているのかもしれない。

もっとも、この世に生をうけた瞬間から、人間の自己愛は始まっている。

生まれたときから無意識に呼吸をしていること自体が、究極の自己愛ではないのかと私は思う。

「私は、そうじゃないわ。自分のことなんてどうだっていい。将来、あの子さえ幸せになってくれれば……私の願いはそれだけなのに……どうして、どうして……こんな、ひどい話ある……」

十和子が、テーブルに突っ伏し号泣した。

彼女とは対照的に、私の心は冷え冷えとしていた。

自分のことなどどうだっていいのなら、娘のこともどうだっていいはず……鏡は、なにもないものは映さないのだから。

「十和子、元気出して」

私は、彼女の小刻みに揺れる肩に手を置いた。十和子が顔を上げ、泣き腫らした眼を向けてきた。

「のぶ子、私に怒ってないの？　この前、ゆり子の口車に乗せられて、あんなにひどいことを言ってしまったのに……」

ゆり子が警察に捕まった事実が、私への疑念を晴らしたのだろう。

「あなたが謝ることなんて、なにもないわ。悪いのは私のほうよ」

「ううん。私ね、知らず知らずのうちに、あなたを苦しめていたのかもしれない。親切心のつもりでも、あなたを、惨めな気持ちにさせていたのかもしれない。だから、この事件を機会に変わろうと……」

立ち上がった私は、無意識に右手を飛ばしていた。

乾いた衝撃音が室内に鳴り響き、頬を押さえた十和子がびっくりしたような顔で私を見上げた。

「のぶ子……なにするのよ？」

「あなたが本当に悪いと思っているのなら、最後まで、北林十和子らしくしてなさいよっ」

私は、呆然とする十和子を残して踵を返した。

溢れ出す涙が、止まらなかった。玄関に向かう僅かな間に、幼き頃からこれまでの様々な出来事が脳裏を過ぎった。

エントランスを抜け外に出ると、身を切るような風が吹きつけ、惨めな気分に拍車をかけた。

「返してよ……」

私は、絞り出すような声で言うと唇をきつく噛み締めた。

「返してよ……」

もう一度、繰り返した。

そして、暗幕に覆われたような夜空に弱々しく光る星を見上げた。

星は、いまにも闇空に呑み込まれそうだったが、それでも、完全に光が途絶えることはなかった。

私なら、中途半端な光を放つことなどせずに、闇に同化する人生を選びたい。

「中西さん」

背後から、声をかけられた。振り向かなくとも、声の主が誰かはわかっていた。

「今度は、十和子を尾行していたのかしら?」

私は皮肉っぽい笑みを浮かべながら首を後ろに巡らせた。

相変わらずの腰の低さで、穴井が慇懃なほど深く頭を下げた。

今日は、珍しく若い刑事を連れていなかった。

「しかし、立派なお住まいですな。私らの給料では、一生かかっても住めませんな」

穴井が、十和子のマンションを見上げながらため息を吐いた。

「そんな愚痴を言うために、私を待っていたんじゃないんでしょう?」

「いや、参りましたな。中西さんは、人の心が読めるとみえる」

口もとは綻んでいたが、穴井の眼は笑っていなかった。

「率直に申し上げましょう。中西さんのお宅の通信記録から、川名さんのお宅へ真夜中に数十回も電話をかけた痕跡がみつかりました」

「まあ、いま初めてわかったような口振りですわね」

「それと、川名さんがスーパー『丸大』で万引きしている写真が、新宿の写真屋から発見されました。店員が誤って一枚ずつ余分にプリントしたようでしたね。普段はやらないミスだったのでお客の名前を覚えていました。引換証には別の名前が書いてありましたが、筆跡鑑定の結果、中西さん……あなたのものと一致しました」

スーツの内ポケットをまさぐっていた穴井が、写真屋の引換証と聖星女子大学付属幼稚園の二次試験の申込用紙を両手に翳した。

「中西さんの字に、間違いありませんね？」

穴井の問いかけに、私はゆっくりと頷いた。

「では、ゆり子さん達に写真を送ったのも？」

もう一度、顎を引いた。

「競争相手を、ひとりでも減らすためですか？」

「本当に訊きたいのは、そのことではないんでしょう？」

私の問いかけに、穴井の表情の動きが止まった。

「いや、今夜は、本当に参りましたな。じつを言うと……」

「行きましょう」

私は、両手首を揃え、まっすぐに伸ばした。

「これは、どういう意味です？」

穴井が、訝しげに眉をひそめた。

「北林こずえちゃんを殺したのは、私です」

後悔？　そんなものが、私の中にあるはずもなかった。

中西のぶ子という人間がこの世に生まれてきた以上の後悔など、存在しないのだから。

21

一畳ぶんのスペースに敷かれた薄い布団に横になった私は、虚ろな瞳で鉄格子から射し込む蛍光灯の光の帯をみつめた。

――十一月十日、午前八時五十分頃、私、中西のぶ子は、新宿区戸山一丁目三番地×号のクレオール早稲田のエントランスにひとりでいた北林十和子を、子猫がいると偽り向かいの雑居ビルのゴミ収集場に連れ込み、コンクリート壁に頭を叩きつけ殺害致しました。同日午後二時頃、北林十和子の遺体を用意していたナイロンバッグに詰め込み、実家のある狭山丘陵に運び、裏山に埋めました。これで、間違いありませんね？

無機質で殺風景な取調室の光景が脳裏に蘇る。

スチール机で向かい合う格好で座った制服警官は、私の書いた上申書を抑揚のない声で読み上げ、念を押しながら、また別の書類にボールペンを走らせた。

ペン先が薄い紙を経て机に触れる硬質な音に耳を傾けていた私は、小さく顎を引いた。

それから、時間、殺害現場、言動、殺害法、移動、遺体遺棄の場所を繰り返し訊ねられ、調書の作成を終えた制服警官と様々な手続きを済ませたのちに、留置場に入ったのだった。

午前六時起床後に朝食とラジオ体操などの軽い運動。九時から三時間の取り調べ。十二時から一時間の昼食と休憩。

十三時から十六時半まで午後の取り調べ。夕食と休憩を挟んだのちに十七時半から十九時までが取り調べで、二時間の自由時間のあとに二十一時が消灯となる。

自首した時間が遅かったので、もう、午前零時を過ぎていた。

罪悪感や恐怖心で、眠れないというわけではない。

私は、十和子を殺したことを後悔はしていないし、これから先の刑務所生活も怖くはない。

死刑が確定すれば牢獄生活は長くても二十年かそこらであり、吉田のぶ子、中西のぶ子として過ごした三十三年間の孤独に比べれば、どうということはなかった。

ただ、気がかりなのはふたりの子供達のことだ。

あの無責任で自己中心的な夫が、美涼と聡の面倒をちゃんとみることができるだろうか？

その前に、今回の一件で、学校でイジめられはしないだろうか？

考えるまでもなかった。

子供達は生涯にわたり、殺人者の子供という重い十字架を背負って生きてゆかなければならない。

眼にみえる差別、眼にみえない差別……これから、様々な状況に於いて、様々な苦難がこれでもかと降り懸かってくることだろう。

もし、私が自分の取った行動にたいして悔いることがあるとすれば、その一点にだけだ。

しかし、もう、なにをどう悔いてもいまさら遅いし、悔いたところで、どうなるものではないことを私が一番、よく知っている。

十和子は生き返りはしないし、万が一生き返っても、私は、また、同じことを繰り返すだろう。

眼を開けたまま、鉄格子から射し込む光をみつめ続けていた。

今夜は、このまま、朝まで過ごすつもりだった。

眠たくはなかったし、睡眠を取る必要もなかった。

眠ってても起きてても、悪夢《ゆめ》の中にいることに変わりはないのだから。

「そうですか」

午前十一時ちょうど。私は、取り調べが始まって二時間目で、初めてほかの言葉を口にした。

——あなたの言うとおり、狭山丘陵の雑木林で、ホトケさんが発見されました。

現れた制服警官の耳打ちでの報告を受けた穴井が言ったことにたいして、発した言葉だった。

私の上申書の内容に沿って、早朝から牛込署の警察官が現場に状況確認や指紋の採取に向かっていたのだった。

「病院に搬送されて医師による死亡確認が行われたのち、ここに搬送され、今度は家族による本人確認が行われます。まあ、報告を受けたかぎりの年格好と特徴では、家族の確認をするまでもなく、ホトケさんは北林こずえちゃんに間違いはなさそうですがね」

「十和子です」

「中西さん、また、それですか」

私が間髪《かんはつ》を容れずに言うと、穴井が大きなため息を吐いた。

それも、無理はなかった。

昨夜、上申書に書いた、北林十和子を殺害し、という件《くだり》を、こずえの間違いではないのか？　と穴井が訊ねるたびに、私はいまと同じ言葉を口にしていたのだ。

「あんた、いい加減にしないか！」

穴井の背後の机で調書を取っていたコンビの若い刑事……安岡が立ち上がり、怒鳴り声を上げた。

「ほらほら、座りなさい。いや、失礼しました。でも、彼が怒るのも無理はありませんよ。あなたが殺したと言い張る北林十和子さんは、もうすぐ、遺体確認のためにここへきます。本当にあなたが殺したのなら、そんなこと、できるわけないでしょう。第一、中西さんが上申書に書いた殺害日の十一月十日以降、北林十和子さんにお会いになっているじゃありませんか？」

安岡を窘めた穴井が、やんわりと諭すように言った。

――知らず知らずのうちに、あなたを苦しめていたのかもしれない。

昨夜の、女性の言葉が脳裏にいまいましく蘇る。

「彼女は、容姿はそっくりですけど十和子じゃありません」

穴井のふたたびのため息と、安岡の歯ぎしりが交錯した。

「では、質問を変えましょう。中西さんと北林さんは、どこで、お知り合いになったのですか？」

「小学校から高校まで、ずっと同じ学校でした」

自分の声が、ラジオから流れてくるナレーションかなにかのような遠いものに感じられた。

「ほう、縁が深いですな。それで、再会したのは、いつですかな？」

「お互いに、家庭を持ってからです。偶然に、長男同士が同じ幼稚園に通うことになりまして」

私は、記憶の吐息をやり過ごし、事実だけを淡々と語った。

「それはまた、相当な偶然ですな」

穴井が大きく眼を見開き、感心したように言った。

私は、彼が手を伸ばした煙草とライターに眼をやった。

私と十和子の運命は、偶然なんかではなく必然だった。

ちょうど、この煙草とライターのように、切っても切り離せない関係だ。

ただし、その関係が同等だとはかぎらない。一部の例外を除いては、あくまでも煙草が主役であり、ライターは脇役だ。

煙草に火をつけるためにライターは必要とされ、その逆はありえない。

「ところで、中西さんと北林さんの関係は、どうだったんですか？　以前から、仲が悪かったわけじゃないでしょう？」

「彼女とは、仲が悪かった時期はありません」

「ほう、それはおかしなことを言われますな。仲が悪くなかったのなら、どうして、彼女を殺す必要があるのです？」

「だから、殺したんです」

私は、穴井の口もとで明滅する煙草の火先《ほさき》をじっと凝視し、腹話術の人形のように、ほとんど唇を動かさずに言った。

「中西さんのおっしゃっている意味が、まったくわかりませんな」

「そうですか」

素っ気なく、私は言った。

別に、わかってもらおうとは思わない。また、わかってもらったところで、なにも解決はしない。

昔から、私が切に願ったことで、叶ったことなどなにひとつとしてなかった。

いつの間にか、なにかを願い、望むことさえ、諦めるようになっていた。

願い、望むから、無窮の闇に囚われると信じてきた。

諦めれば……規則正しく淡々と呼吸するだけの植物の生活を送れば、失望も怒りも感じない無の境地に達することができると信じてきた。

露骨な悪意を笑って受け流し、善意を装った悪意に気づかないふりをし、私は自分自身を守ってきた。

鈍感な女、なにを言っても許される女。私の取った自衛策は裏目に出て、よりいっそう、嘲笑の対象となった。

この世に生まれてきた自分を……そして、この世に産んだ両親を呪った。

つらく、苦しい日々が続いた。しかし、孤独には馴れていたので、耐えられないほどではなかった。

十和子と再会し、聡が生まれ、美涼が生まれたあたりから、状況は一転した。

彼女に、悪意はなかった。それ故、受け流すことも、気づかないふりもできなかった。

社交性、身嗜《みだしな》み、躾、教育……彼女は、私に様々なアドバイスを与えた。

アドバイスをするだけではなく、じっさいに、手助けをしてくれた。

それが有り難迷惑であろうと親切の押し売りであろうと、彼女の行為が善意であることに変わりはなかった。

彼女はますますみなから慕われ、光を増した。私はますますみなから蔑《さげす》まれ、光を失った。

いや、私には最初から、失う光などなかった。ただ、くすんでいった。

彼女の行為が善意であればあるほどに、どうしようもなく……。

「理由はなんです？　どうして、北林十和子さんを殺したんですか？」


——理由はなんなの？　どうしてだめなのよ。このエプロンはね、お祖母ちゃんの代から大切にしていたもので、生地もしっかりしていて、とても高価なものなのよ。お花だって刺繍されているし、なにが不満なの？


穴井の声に、母の声がオーバーラップした。

あれは、家庭科実習の前の日の夜だった。

母が用意してくれた臙脂色のエプロンに、私は難色を示していた。

子供の眼からみても、そのエプロンが高級であることはわかった。

母の言うとおり、花……白い水仙が刺繍されてもいた。

しかし、私はそのエプロンを拒んだ。学校を休む理由を模索するほどに、拒絶していた。

――答えなさい。黙っていたら、わからないじゃないの。

「答えてもらえますか？　北林十和子さんを殺した動機を？」

今度は、母の声に穴井の声が被さった。

私は、彼の問いかけを無視し、回想の旅へと戻った。

――もっと、かわいいエプロンがいいの。

母の顔色を窺いながら、私は怖々と言った。

――我儘を言ってないで、これを持っていきなさいっ。十和ちゃん達の前で着ても恥ずかしくないようにって、お母さんもちゃんと考えているんだから。

人間というもの、そういう親心に密かに感謝するのが思春期で、素直に礼を言えるようになるのが二十歳を過ぎたあたりからだ。

まだ七歳か八歳の少女には、すべての判断基準は自己の気持ちのみであり、そこに他人の思いやりや気遣いなどという要素は一切入り込む隙はなかった。

判断基準が揺らぐとすれば、それは、怒られるかもしれないという恐怖心によってだけである。

私の場合、ほかの子供よりもとくに恐怖心が強かったわけだが、エプロンの件についてだけはどうしても譲る気はなかった……というより、譲ることができなかった。

自己を主張したかったわけでも、意固地になっていたわけでもない。

それを受け入れてしまえば、母に怒られることよりも、もっとつらく、惨めな思いをしなければならないということが、幼心にもわかっていたのだった。

しかし、結局は受け入れなければならないだろうこともわかっていた。


——ほら、これでかわいくなったよ。ね？

それまで私に向けられていた思いやりのない子供特有の残酷過ぎる好奇の眼が、十和子がエプロンの肩紐に結びつけたピンクのリボンをみて輝いた。

——ほんとだ。十和ちゃん凄い！

ひとりの女の子の発言に、私の周囲に集まっていた野次馬達が、一斉に十和子のもとへと流れていった。

嘲笑の対象から外されたことで、ほっとするのが普通だが、私は違った。

私にとって、そのときの状況は、母に怒鳴られ、頬をぶたれることよりも何倍もの苦痛だったのだ。

「申し訳ないですけど、それにはお答えすることはできません」

「あんたね、せっかく警部が馬鹿げた妄想につき合ってくれてるっていうのに、その態度はないだろうが！」

私は、目尻を三角に吊り上げる安岡を無表情に一瞥《いちべつ》し、すぐに穴井に視線を戻した。

「なら、質問を変えます。中西さんは、十和子さんをいい友人だと思っていましたか？　それとも、いやな友人だと思っていましたか？」

「いやな人間なら、友人にはならないでしょう？」

「そうですな。愚問でした。では、いい友人だったと？」

自分を貶めながら、私の心の襞《ひだ》にわけ入ろうとする穴井の粘り強さは称賛に値する。

しかし、いままではそれで功績を残してきただろう彼も、今度ばかりは、そうはいかない。

私の心の奥にわけ入ることはできても、彼の探し物は……期待している答えはみつからないのだから。

というより、初めから、そんなものは存在しない。

「ええ、いい友人でした。だったら、なぜ？　でしょう？」

私は、彼が数秒後に口にするだろう言葉を、口もとに緩い弧を描きつつ先回りして言った。

ふざけているわけでも、煙に巻いているわけでもない。

心にある思いのままに、なんのフィルターもかけずに答えただけだった。

「あなたは複雑だ、などと月並みな言葉で形容できるような人ではありません」

穴井が、同情的な眼差しを私に向けてきた。

「じゃあ、どんなふうに形容できますの？」

自分がどうみられているかに興味がある、というよりも、彼が私をみる瞳の揺らぎが気になった。

その揺らぎは、さりげなく視線を逸らす仕草や……紫煙とともに漏らすため息にさえ相手の心理を測ろうと罠を仕かけるような穴井が、初めて覗かせた素の部分に思えたのだ。

「あなた自身、自分がなにものなのかがわかっていない。実体のない人を形容するのは、非常に困難なことです」

五里霧中。彼は、私にそう言いたかったに違いない。

急速に、穴井への興味が失せた。

五里で晴れる霧ならば、私はこんなに不幸な人生を歩まずに済んだ。

しかし、私の周囲に立ち込める霧は、歩けば歩くほどに深くなった。

歩を止め、霧の中に立ち尽くした。

これ以上、進んでも、私が求めている出口も入り口も存在しない。

ことあるごとに、そう自分を戒めた。

もしかしたなら……。

そのたびに、憐れな希望に縋り、あるはずのない扉を探すためにふたたび足を踏み出し、さらなる濃霧に呑み込まれてゆく……その、繰り返しだった。

気づいたときには、扉どころか、自分の足もともみえないような深い霧に包まれていた。

「あんた、そうやってだんまりを決め込むつもりか？　北林十和子さんを憎むあまり、子供に手をかけたんだろうが！」

安岡が、痺《しび》れを切らしたように両手で机を叩いた。

憎んでいる、と錯覚したときもあった。いや、最期の瞬間まで、憎み続けていた。彼女の名前を耳にすると不快な気分になり、笑顔をみると胃袋がキリキリと痛んだ。それらの精神的、または肉体的異変は、憎しみがもたらしていると信じて疑わなかった。

違った。私は、彼女の息が絶え、その姿が土の中に埋もれた瞬間に、悟った。

三十年近く、彼女に抱いていた感情は憎悪などではなく、もっと深刻なものだったということに。

私は、胸奥深くから聞こえる冷たい息遣いに耳を傾け、眼を閉じた。

エピローグ

勾留生活二日目の朝を迎えた。子供達の弁当を四時半起きで作っていた私には、六時という起床時間は苦にはならなかった。

結局、昨日の夕食後の取り調べの残り一時間は、ひと言も発することなく過ぎた。黙秘をしようとしているのではなく、彼らを相手に話すことがなかっただけの話だ。

安岡は頭ごなしに十和子への腹癒せで私がこずえを殺したと決めつけ、穴井は表面上こそ聞く耳を持っているふうを装ってはいたが、内心は同じようなものだった。

海苔《のり》と味噌汁とたくあんの質素な朝食を済ませ、私は取り調べの時間を待っていた。

今日も、無為な一日になりそうだった。もともと、無為な人生を送ってきた私には、お似合いの時間《とき》の過ごしかたなのかもしれない。

背後の格子窓から射し込む朝陽が作り出す影に、ぼんやりと眼をやった。

立ち上がり、二、三歩前に踏み出した。当然、影はついてくる。右手を上げてみる。影が左手を上げる。今度は、左手を上げてみる。影が右手を上げる。

急ぎ足で、狭い独房の中を歩き回った。影を振り切るとでもいうように、動物園の檻《おり》の中の獣さながらにグルグルと動き回った。

「どうしてなのよ！」

私の叫びに、女性看守が血相を変えて駆け寄ってきた。

「静かにしなさいっ。中西さん。いったい、どうしたんですか⁉」

「すみません」

私は、すぐに我を取り戻した。というより、もともと、我を失ったりはしていなかった。

影は影でしかないということには、もう、ずいぶんと前から気づいていた。

長年つき合ってきた持病のようなものだ。いまさら、驚きはしない。

ただ、ときどき、どうしようもなく苦しくなるだけ。自分の胸を斧で断ち割り、ヘドロのように沈殿した鬱屈を十指で掻き出し、声のかぎりに叫びたくなるときがあった。

「いまから取り調べだけど、大丈夫なの？」

私が小さく顎を引くのを認め踵を返した看守の背中に、重い足取りで続いた。

朝の取り調べは、昨夜となにも変わらなかった。

穴井が手を替え品を替え根気強く質問をし、私は黙秘し、安岡が痺れを切らし怒鳴りつけ、穴井がそれを制し、私の心情を理解しているふうを装い、ふたたび質問を始めることの繰り返しだった。

私は私で、三時間の取り調べで口にしたことと言えば、さあ、わかりません、どうでしょう、の生返事だけだった。

苦痛ではなかった。むしろ、穴井や安岡の質問のおかげで、十和子や美涼のことを考える時間が少なくなり、気持ちは楽になったと言えた。

つまり、私を拘束していた呪縛に比べれば、殺人者として受ける取り調べなどどうということはなかった。

「中西さん。面会ですよ」

私は、宇宙人をみるような顔で看守を見上げた。

刑事ドラマなどで面会のシーンはよく流れるのでそのシステム自体に驚きはなかったが、この私に会いにきた人物がいるということが……そして、それが誰だかわかっているので、意外だったのだ。

次の瞬間、驚きは恐怖に変容した。

いまの私は、髪が抜け落ち、塗装が剝げ、玩具としての価値がなくなり家族に見放された人形のように、悟り、諦め、死刑にさえも恐怖を感じない虚無の状態だった。

虚無にならなければ、哀しみと孤独に押し潰されることを知っているから、なるがままに身を委ね、一切を受け入れるしかなかった。

それがどんなに理不尽なことであろうと、残酷なことであろうとも……。

そんな人形にも、唯一、恐れていることがあった。

家族の中で、いつもその人形と一緒にいた小さな主にみつかり、拾われ、家に連れて帰られはしないか、ということだった。

人形は、自分を大切にしてくれたその小さな主が大好きだった。

小さな主が大切にしてくれていた時代は、髪の毛もさらさらの栗色で、肌も雪のように白かった。

洋服も、いまのように継ぎ接《は》ぎだらけでなく、誕生パーティでおめかしした少女のドレスのようにまっさらで、シミひとつなかった。

惨めに変わり果てた自分のことを、みてほしくはなかった。

小さな主に拾われても、もう、家に戻ることができないことを……大きな主達が反対することを人形は知っていた。

「なにしてるんですか？　はやく、行きますよ」

看守の声が、そのときの私には悪魔の誘《いざな》いのように聞こえた。

足が竦むとは、こういうことを言うのだろう。

面会部屋に通された私は、ガラス窓の向こう側から不思議そうな顔でみつめてくる美涼を前に、冷凍庫に放り込まれたように躰が硬直した。

美涼の背後では、蠟《ろう》人形と見紛《みまが》うような蒼白な顔で夫が立ち尽くしていた。

私は、美涼から逸らした視線を足もとに落とし、ゆっくりと歩を進めた。

「お忙しいのに、わざわざすみません」

俯いたまま他人行儀な言葉を投げ、私は椅子に腰を下ろした。

「のぶ子……お前……どうしてなんだ？」

顔を上げ、干涸《ひから》びた声で問いかけてくる夫をみつめ、ごめんなさい、と呟いた。

「ねえ、ママ。どうしてごめんなさいするの？　パパに悪い子したの？」

無邪気に問いかける美涼のほうをみることができなかった。

「そう、ママね……とっても悪いことをしたの」

顔を夫に向けたまま、私は娘に語りかけた。

「そうなの？　だから、この狭いお部屋に閉じ込められているの？」

瞼の奥が熱くなり、視界が霞んだ。私は奥歯を嚙み締め、唇を割って出そうな嗚咽を堪えた。

「聡は、連れてこなかったよ。美涼と違って、もう、いろんなことがわかってくる歳だしな」

夫の言葉に、頷くのが精一杯だった。

「ねえねえ？　美涼が、言ってあげる。もうママは悪い子しませんから、お部屋から出して、って」

「美涼……」

私は堪らず口を押さえ、面会が始まってから初めて、美涼に顔を向けた。

「ママ、泣かないで？　ね？　美涼が、あのおねえさんに言ってあげる」

「もっとこっちにおいで……」

美涼が、呼びかけに応じてガラスにくっつくほどに近づいた。

私は、娘の頰を包むようにガラスに両の掌を当てた。

「おうちに帰ってくるよね？」

娘の不安げな声。我慢の限界だった。美涼の顔が、指先で擦った鉛筆画のようにぼやけてゆく。

「ママね……しばらく、おうちに帰れないの」

懸命に拵えた笑顔で娘をみつめつつ言った。

「どれくらい帰れないの？」

「さあ……どれくらいかしらね」

「明日《あした》、それとも明後日《あさって》？」

汚れなき者だけが持つことができる澄んだ瞳から、私は眼を背けた。

直視するには、あまりにも、無情な年月が流れ過ぎていた。

「ごめんなさい……」

言葉尻が嗚咽に呑み込まれる。私は突っ伏し、声を上げて泣いた。

帰らぬ母を指折り数えて待つ娘が、不憫《ふびん》でならなかった。

それ以上に、中西美涼として生まれてきた彼女が、憐れでならなかった。

「のぶ子。どうして、俺に相談してくれなかったんだ……。なにか、力になれたはずじゃないか？」

夫の問いかけに、高ぶっていた感情がすうっと引いてゆく。

「あなたは、どこまでも卑怯な男性《ひと》ね。せめて美涼が生まれた頃に、それを言ってくれれば、もしかしたなら、私はここにいなかったかもしれない……」

美涼のときとは違い、夫を冷え冷えとした瞳で見据え、抑揚のない口調で言った。

「のぶ子……」

「帰ってください。もう、面会も差し入れも結構ですから。二度と、私の前に姿をみせないで。中西のぶ子は、最初からいなかったものと考えてください」

私は、言おうと用意していたセリフを口にした。

彼にとっては、そう難しい要求ではないはず。夫の中には、結婚当初から中西のぶ子という人間は存在していなかったのだから。

「わかったよ。しかし、大変なことをしてくれたもんだ。お前のせいで、俺はこれからどうなる？　へたをすれば会社はクビだ。近所からも白い目でみられる。もう、人生、破滅だよ」

本性を現した夫が吐き捨てるように言うと、席から腰を上げた。

「もう、帰っちゃうの？　美涼、まだ、ママとお話ししたい」

「ほら、我儘を言うんじゃない。パパはこれから帰って、いろいろとやらなきゃならないことがあるんだ」

「待って」

私は、強引に美涼の手を引く夫を呼び止めた。

「なんだ？　理由なら、もう、話さなくてもいいぞ。いまさら、なにを言ったところで、どうなるものでもないわけだからな」

「私のことは、どう思ってもらっても構いません。でも、この子にだけは、優しくしてやってください。いままで、つらい目にあったぶんまで、幸せにしてあげてください。お願いします」

私は、深々と頭を下げた。

「勝手な女だ」

捨てゼリフを残した夫の立ち去る気配がした。

「ママ、またくるからね。またくるからね。ね？　ママ……」

頭を上げたい誘惑に、懸命に抗った。しかし、いま、美涼の顔をみてしまったなら、きっと、家に戻りたいという未練が残ってしまう。

ゴミ置き場に捨てられ、小さな主に発見された人形のように、抱いてはいけない希望が胸に芽生えてしまう。


私には、お似合いの「部屋」がある。

そこは暗く、陽が当たらず、とても陰鬱な「部屋」だった。

その「部屋」が、世界のすべてだと思っていた。

あるとき、「部屋」の外に、別の世界が広がっていることを知った。

その世界は、陽光に満ち溢れ、みたこともないような美しく気高い薔薇の花が咲き乱れていた。

私は、外の世界に憧れ、「部屋」を飛び出した。

太陽の暖かさを知った。

花の芳香を知った。

空の青さを知った。

小鳥の愛らしさを知った。

大地の寛容さを知った。

私は、初めて体感した外の世界に魅了された。

だが、すぐに気づくことになった。私は、外の世界の住人……十和子の影にしかなれないということに。

それでも、最初は、希望を捨てていなかった。

いまは影でも、彼女の模倣をしているうちに、本物の薔薇になれると……。

甘かった。十和子のまねをすればするほどに、影の漆黒は色濃くなっていった。

それに気づいたときには、もう、自分がなにもので、なにをやっているのかさえわからなくなっていた。

本物になれないのならば、薔薇園を離れ、旱魃の大地でひっそりと咲く砂漠の薔薇になろうと思った。

砂漠に薔薇など存在しない。でも、私には、たしかにみえていた。

花びらだけが真紅に染まる、モノクロームの薔薇の姿が……。

けれど、そこでも私は、炙《あぶ》られた熱砂に揺らぐ影でしかなかった。

そう、私は、モノクロームの薔薇にもなれなかった。


「ママ？　ねえ、ママ？　ママ？」

美涼の呼びかけに、何度も、顔を上げそうになる自分がいた。

「中西さん。いいんですか？　娘さんが呼んでますよ？」

看守がなにかを言っている。耳に入らない。聞こえるのは、美涼が私の名を呼ぶ声だけ。

私は、足もとのコンクリート床に落ちて弾ける水滴をじっとみつめながら耳を塞ぎ、この世で、唯一、愛しいと思える人の声を遮った。


「中西さん。もう、今日で二週間目です。いままで、あなたのペースにつき合ってきましたが、今日は、言わせてもらいます。中西さん、あなたは、北林十和子さんではなく、こずえちゃんを殺した。それは、あなたがどれだけ否定しようとも、動かしようのない事実なんです」

柔和な顔をした見知らぬ初老の男性が、大きなため息を吐きながら訊ねてきた。

「そうやってのらりくらりと、二十日間の勾留期間が切れるのを待つつもりかっ」

初老の男性の背後では、躰の大きな若い男が顔を真っ赤に染めて怒鳴り声を上げていた。

ここが、警察の取調室だということはわかっている。ふたりの男が、刑事だということもわかっている。

しかし、なぜ、自分がここにいて、彼らに問い詰められなければならないのかが、わからなかった。

どこからか、ウグイスの鳴く声が聞こえた。いまは冬。いるはずのない鳥。だけど、たしかに聞こえる……子供の頃、近所の裏山から朝になると決まって聞こえてきた、あの、懐かしく、どこか物哀しいウグイスの声が。

「なぜです？　あなたの北林さんへの複雑な思い……はっきり言いましょう。彼女に抱いていたコンプレックスは、聖星の一次試験に合格したことで、解消されたのではないのですか？　たしかに、こずえちゃんも合格しました。しかし、いままで、常に背中をみ続けてきたことを考えると、同じ立場になっただけでも、気持ちの上で違ったのではないのですか？」

お外においでよ。一緒に遊ぼう。

そのウグイスの鳴き声は、私にそう語りかけているようだった。
私は、「友」の姿をひと目みたくて、学校が終わるとまっすぐに裏山に向かった。

こっちにおいで。私はここよ。

だが、声はすれど、ウグイスの姿はどこにもなかった。
「答えてください。なぜですか？　聖星の受験に、あなたは心血を注いでいたと言っても過言ではないでしょう⁉　少なくとも、その半分は達成したわけじゃないですか？　それなのに、なぜ、北林さんに復讐する必要があったのですか⁉」
私は、雑木林を、奥へ、奥へと進んだ。

はやくみつけて。陽が暮れちゃうよ。


ウグイスの鳴き声は次第に近くなったが、やはり、姿はみえなかった。

「いたいけなお子さんに手をかける必要が、どこにあったのですか!?」

歩き疲れた私は途方に暮れて、半べそ顔であたりを見渡した。

諦め、うなだれたときだった。足もとの腐葉土の上に、小さななにかが転がっていた。

私は、腰を屈め、「小さななにか」を凝視した。

それは、ときどき、私の部屋の窓枠に遊びにきていた、鮮やかな黄色い被毛が印象的なインコだった。

私は、幼心にも、このインコがどこからきているのだろうと、いつも不思議に思っていたものだ。

硬直し、冷たくなったインコを掌に乗せた私の頬を、涙が伝った。

暗く冷え冷えとした雑木林に響き渡る嗚咽に交じって、声が聞こえた。

　あなたがウグイスの鳴き声が好きだとお母さんに話しているのを聞いて、選択したの。

　そしたら、あなたはきっと裏山にきてくれて、私のことをみつけてくれると思った。

知ってた？　魂の世界では、なりたいと思ったものになれるのよ。

だから、私は美しい声で歌うウグイスになったの。あなたが大好きなウグイスにね。

どこまでが現実で、どこまでが空想なのか、二十五年以上の歳月が流れたいまでは、記憶が曖昧になってわからなかった。

もともと私は、空想好きな少女だった。人間の言葉を喋るインコを作り出すくらい、わけがなかった。

ただ、はっきり覚えているのは、窓際に遊びにきていたインコがいたのは事実だということ、そして、そのインコの屍を裏山で発見したのが私であるのも事実だということ。

「中西さんっ、あなたは、自分のやったことがいったい、どういうことなのかわかってるのか！」

それまで温和だった初老の男性が、人が変わったような物凄い形相になり机を叩いて怒声を上げた。

「私が死んだなら、薔薇の人生を選択することができるでしょうか？」

私は初老の男性を虚ろな瞳でみつめながら、独り言のように呟いた。

「え……？　中西さん。なにを言って……」

「あのインコは、ウグイスになりたかったんですね。多分、ずっと、どこかで、そのウグイスのことをみていたんでしょう」

「おい、あんた、俺達をからかってるのか！　どうしてこずえちゃんを殺したのかを訊いてるんだっ」

若いほうの男性が、血相を変えて立ち上がった。

私は弾かれたように顔を上げ、強い光を宿した眼で彼を見据えた。

「な……なんだ、その眼は？」

「あなたがたに、人生のすべてを影として生きてきた者のつらさがわかりますか？　どんなに頑張っても、なにを言っても、私の姿は誰にもみえないし、私の声は誰にも届かない。なのに誰もが、彼女が口にする言葉には耳を傾け、振る舞いのひとつひとつに瞳を輝かせる。幼い頃から、ずっと、ずっと、ずっと……」

「彼女というのは、北林十和子さんのことですか？」

私は、若いほうの男性から初老の男性へと視線を移した。

「意思も姿も持つ、ひとりの人間になりたかった……ただ、それだけでした。美涼が聖星の一次試験に受かっても、彼女が同じ世界にいるかぎり、私はまた、影でい続けなければならない。三十三年間、耐え続けてきたのに……もう、限界でした」

「それで、娘さんを殺したんですね？」


　あんたがあの子だったら、どんなに楽だったことか……。


　初老の男性の声と、脳内に蘇る母の声が交錯した。

「十和子が死ねば、今度は、私が誰かの影の主になれると思っていた。でも、違った。彼女が死んでも、形あるうちは、影は残るものですね」

　私は、泣き笑いの表情で呟いた。

「そして、この世から彼女の肉体が消滅した瞬間に、影も消えるんです。馬鹿ですね……私……本体がなくなったら、影も存在できるわけないのに……」

　俯き、わななく唇を嚙み、きつく眼を閉じた。肩が小刻みに揺れ、喉奥が痙攣したように震えた。

　不意に、虚無感に苛まれた。

　哀しみでもなく、後悔でもなく、もちろん、怒りでもなく……ただ、どうしようもなく虚しかった。

無機質なコンクリート壁に囲まれた空間に、寂しげな啜り泣きが響き渡る。

ごめんね。花を咲かせることができなくて……。

私は、語りかけた。

瞼の裏に浮かぶ幼き少女が、冥い瞳でみつめていた。

お母さん、のぶちゃんのこと嫌いにならないで。十和ちゃんみたいになるから。

私には、お似合いの「部屋」がある。

そこは暗く、陽が当たらず、とても陰鬱な「部屋」だった。

その「部屋」が、世界のすべてだと思っていた。

あるとき、「部屋」の外に、別の世界が広がっていることを知った。

その世界は、陽光に満ち溢れ、みたこともないような美しく気高い薔薇の花が咲き乱れていた。

解説

香山二三郎

受験戦争という言葉がある。戦争とは穏やかではないが、進学先次第で仕事先も決まってくるとなれば、それはまさに人生を賭けた熾烈《しれつ》な戦いにほかならない。高度経済成長とともに学歴社会が確立されていった一九六〇年代から七〇年代にかけて、大人も子供も進学受験にのめり込むようになるが、その主戦場は大学受験。一部で自殺者を出すなど戦いが過熱していくいっぽう、当時はまだ小中学校時代をのほほんと過ごすことが許されていた。

だが、よりよい学校への進学がその後の進路にも有効となると、受験生も次第に低年齢化していくことになる。戦場も、大学から高校、中学、小学校へと拡大していき、ついには幼稚園受験まで真剣なものへと変わっていった。中でもひと際熱が高まったのが私立や国立の名門幼稚園、小学校への受験――いわゆる〝お受験〟である。

お受験という言葉が耳に馴染んでからすでに久しいが、片山かおる『お受験』（文春文庫ＰＬＵＳ）によれば、「いわゆる『お受験』の過熱が顕著になりだしたのは八〇年代後半からである。バブル景気拡大とともに各校とも八五年より受験者数を伸ばしつづけ、九二年をピークにやや沈静化の模様を見せているが、依然として『お受験』がブームであることは変わらない」。同書の刊行は一九九八年三月だが、その後もお受験ブームが廃《すた》れることはなかった。廃れるどころか、一部ではよりホットなものへと変わっていったのだ。

一九九九年一一月、そうした情況を大きく揺さぶる事件が起きた。東京都文京区在住の三五歳の主婦が近所に住む会社員夫婦の二歳の長女を殺害、遺体を静岡県大井川町の実家の裏庭に埋めた。世にいう〝音羽お受験殺人〟である。なぜ〝お受験〟なのかというと、犯行直前、被害者は名門お茶の水女子大学附属幼稚園に合格しており、加害者の娘は落ちていた。それが当初、犯行動機として大きくクローズアップされたからである。

もっとも、加害者は自分の娘のお受験にはそう熱心ではなかったし、被害者の合格も知らなかったという。動機としてはそれよりむしろ、「母親同士のつきあいの中で生じた心のぶつかりあいにあった」と述べたことから、〝お受験殺人〟は母親たちの問題へとスライドしていったのだが……。

本書『砂漠の薔薇』はまさしくその音羽の事件を髣髴《ほうふつ》させるクライムノベルである。ヒロインの中西のぶ子は新宿区戸山の都営住宅で夫とふたりの子供と暮らす三三才の主婦。夫は教材会社に勤める普通のサラリーマンだが、長女美涼を名門聖星女子大学付属幼稚園に入れるため、お受験の準備に勤しんでいた。高田馬場にある幼稚園受験の登竜門若葉英才会に通わせ、幼馴染みの北林十和子をはじめとするお受験グループと情報交換に努める日々。だがのぶ子とは異なり、彼女たちが住んでいたのは「年収一千万程度では高収入とは言わないような世界」だった。グループ内では浮いた存在ながら、のぶ子は家計を必死にやりくりして二ヵ月後に迫った一次試験に立ち向かおうとしていたが……。

本書の主要舞台・高田馬場は音羽に近いし、娘にお受験をさせる三〇代半ばの専業主婦というのぶ子のキャラクター造型も似通っている。音羽の事件を知っていれば、本書がそれをモデルにしているのであろうことは容易に察しがつくだろう。しかし、だからといって本書は犯罪事実に沿ったノンフィクションノベルではない。現実の加害者は僧侶の妻であったし、前述したように娘のお受験にのめり込んでいたわけでもなかった。果敢にお受験に挑む本書のヒロイン像は、現実の事件とはむしろ反対の造型。つまり、本書は現実の事件にインスパイアされた、あくまでリアルなタッチのフィクションなのである。

では、著者は何故現実の事件をそのまま小説にしなかったのかといえば、事件関係者への配慮ということもあったろうが、もっとも大きな理由はやはりお受験の過酷な実態を浮き彫りにしたかったからではなかったか。

実際、のぶ子の熱の入れようはハンパじゃない。ハイソなお受験グループに貶《おとし》められながらも、ひたすら耐え続けてみせるそのココロは、

子供が不合格になること即ち、親が否定されたことになるのだった。

美涼を合格させるために今後一ヵ月を水だけ飲んで凌げというのなら、喜んで断食しよう。一生涯のうちで定められた幸福を使い果たせというのなら、快く余生で不幸を受け入れよう。

私にとって、美涼を聖星女子大学付属幼稚園に入園させるということの前では、いかなることも犠牲の対象になる。

美涼が不合格になるのなら、どんなに恵まれた生活も、どんなに円満な夫婦関係も、紙屑ほどの価値もない。


いやはや、いったい何がそこまで彼女を駆り立てるのか、不思議に思われる向きも少なくないだろう。しかし「子供が不合格になること即ち、親が否定されること」となれば、ハイ

ソなお受験グループとてのんびりと構えてはいられない。彼女たちもまた、のぶ子に優るとも劣らぬ情熱をもってお受験に奔走しているのである。そしてその昏《くら》い情熱は、やがて陰湿な嫌がらせから犯罪へとつながっていく。物語中盤、のぶ子は自分を目の敵にしているお受験グループのひとりのとある行為を目撃、それをきっかけに彼女の暴走が始まるが、それは周囲にも思わぬ波紋を呼ぶことになる。

とはいえ、本書はのぶ子のストレートな暴走劇ではない。そう思い込んでいると、著者が仕掛けたトラップに驚かされることになる。母親の代理戦争としてのお受験が高じると、トンデモない事態を招きかねない——著者のお受験批判はなるほど、強烈な毒を放っている。

そのいっぽうで著者は、のぶ子が子供時代から十和子に対して抱き続けてきた葛藤を、具体的なエピソードを通して浮き彫りにしていく。孤独な少女だったのぶ子を、十和子はその都度かばってきたが、かばえばかばうほどのぶ子の屈託も堆積《たいせき》していくという負のデフレスパイラル。著者はお受験それ自体の愚かさを痛烈に風刺するいっぽうで、それがのぶ子のさらなる暴走の引き金になったことも明かしていくのだ。

そう、お受験にのめり込んでいる主婦は少なくないが、彼女たちが皆犯罪に手を染めるわけではない。引き金はしょせん引き金、のぶ子をさらなる暴走に駆り立てた真の闇はお受験とは関係のないところに潜んでいた。本書の後半、著者がえぐり出してみせるのは、のぶ子の子供時代の親子関係とそれに端を発する十和子との屈折した関係だ。激しく抑圧されたのぶ子と、幼い頃から薔薇のように光り輝いていた十和子（その名前の由来はもちろんカリスマ主婦君島十和子だろう）。ふたりのギャップはお互い主婦となって再会したとき、さらに拡大していた。それが、のぶ子の歪《ゆが》みをさらに増幅させることになる。

ここにきて、物語は再び音羽の事件とリンクしてくるが、現実の加害者と被害者の母親との関係はやはりデフォルメされている。加害者のいう、被害者の母親との心のぶつかりあいとは、果たして具体的にどういうものだったのだろうか。

日本は今、アメリカ型の格差社会化が進みつつあるといわれる。格差が拡大していけば、受験戦争もお受験もこれまで以上にシビアなものにならざるを得ない。それは歪んだ人間関係を生み出すだけでなく、新たな中西のぶ子を出現させないとも限らない。著者の描き出す心の闇は、今や極めて深刻な犯罪病理というべきかもしれない。

本書は現代社会の闇を活写する〝黒・新堂〟系の一冊であるが、男社会のそれをとらえたノワールものとはまたひと味違う仕上がりをみせている。社会進出が進み、男女差別のくびきから解き放たれつつある現代女性ではあるが、男社会の呪縛はまだまだ残っている。現実の事件に材を取ることによって、そうした女たちの情況も見据えた著者は、白でも黒でもない、より深みのある小説世界を目指しているに違いない。

あるいは近い将来、トルーマン・カポーティ『冷血』（新潮文庫）のようなニュージャーナリズム系の作品にチャレンジする可能性もあり、と筆者は見ているのだが。

——コラムニスト

この作品は二〇〇六年一月小社より刊行されたものです。

幻冬舎文庫

●最新刊
Love Letter
石田衣良　島村洋子　川端裕人　森福 都
前川麻子　山崎マキコ　中上 紀　井上荒野
桐生典子　三浦しをん　いしいしんじ

はじめてラブレターを出した時のこと、もらった時のこと、覚えていますか？ 今、最も輝きを放つ11人の作家が、それぞれの「ラブレター」に想いを込めて描く恋愛小説アンソロジー。

●最新刊
クレイジーヘヴン
垣根涼介

会社員の恭一27歳。中年ヤクザと美人局で稼ぐ主子23歳。ある事件をきっかけに二人は出会い、非日常へと堕ちていく。揺れる心、立ち塞がる枠。境界線を越えて疾走する二人が摑んだ自由とは？

●最新刊
代筆屋
辻 仁成

きっかけがありさえすれば、人は必ず出会える。出会ってしまえば、それはすでに恋のはじまり。運命というものは多分、信じた人のものになるのだ。手紙の代筆で人助けをする作家の物語。

●最新刊
学校
松崎運之助

一九七二年に東京下町の夜間中学に教師として勤務した著者が出会った生徒達。社会でひどい仕打ちを受け、不当に差別されてきた人々が、文字を学ぶことで人間の尊厳を取り戻していく感動実話。

●最新刊
正義の証明（上）（下）
森村誠一

社会的に非難を浴びる人物に麻酔弾を撃ち込む「私刑人」。彼はなぜ執拗に犯行を重ねるのか？ 法に庇護されなかった弱者と、暴力団、警察との壮絶な闘いを描く、森村ミステリーの金字塔。

砂漠《さばく》の薔薇《ばら》

新堂冬樹《しんどうふゆき》

平成20年4月10日　初版発行

発行者——見城徹

発行所——株式会社幻冬舎

〒151-0051東京都渋谷区千駄ヶ谷4-9-7

電話　03(5411)6222(営業)

03(5411)6211(編集)

振替00120-8-767643

印刷・製本—図書印刷株式会社

装丁者——高橋雅之

幻冬舎文庫

ISBN978-4-344-41111-1　C0193　し-13-8